D0525759

Le
Livre
de
Poche
Jeunesse

LES OUBLIÉS DE VULCAIN

DANIELLE MARTINIGOL

LES OUBLIÉS DE VULCAIN

Illustrations :
Manchu

1

Odilon

Charley n'en croyait pas ses yeux. Il regardait avec stupéfaction le petit animal niché au fond du paquet qu'il venait de déballer.

« Tu peux le prendre, dit Clara en riant, il est à toi désormais. »

Charley leva vers sa tutrice un regard rayonnant.

À côté d'elle se tenait Jim, le compagnon de Clara, les poings dans les poches, comme à son habitude, et derrière eux se pressait une bonne vingtaine de personnes. Tous avaient le sourire ravi de ceux qui ont préparé une belle surprise.

« Vous m'aviez dit qu'il ne serait prêt que dans un mois ! s'étonna Charley en regardant à nouveau l'animal dans la boîte au milieu des rubans et du papier cadeau.

— Eh bien, nous t'avons menti, répliqua Jim, mais c'était pour mieux te faire plaisir. Nous avions bien calculé pour t'offrir ton charat le jour de ton anniversaire. »

Anniversaire ! Le mot magique de sa petite enfance. Pour le petit Charley, c'était la seule fête de l'année. Mais il avait grandi. Il allait avoir quinze ans à minuit. Recevait-on encore des cadeaux à quinze ans ?

Depuis qu'il avait ouvert les yeux, ce matin-là, il n'avait cessé de s'interroger sur ce que Clara et Jim lui réservaient. À plusieurs reprises dans la semaine, il les avait surpris en grand conciliabule. Comme les conversations s'arrêtaient dès qu'il approchait, il en avait vite déduit que son anniversaire était au cœur des débats.

Pour ne pas risquer d'entendre une de leurs conversations – il préférait ne rien apprendre avant le jour J –, Charley s'était donc appliqué à siffler ou chanter à tue-tête avant d'ouvrir une porte quelle qu'elle soit. La méthode avait fonctionné. Sa surprise était totale.

Il avait pensé à tout sauf au charat !

« Montre-le-nous, Charley, dit une jeune femme par-dessus l'épaule de Jim.

— Oui, on veut le voir ! insista un homme dans le fond de la pièce. Après tout, c'est nous qui l'avons fabriqué. »

Devant le sourire narquois de Jim, le scientifique ajouta à la cantonade :

« D'accord, c'est Jim et Clara qui l'ont fabriqué, nos génies généticiens... Mais Jim et Clara, c'est l'Usine, et l'Usine, c'est nous tous, non ? »

Charley n'écoutait pas. Il avait les yeux rivés sur le charat. Il écarta avec précaution le coton qui calait l'animal et, mettant ses mains en coupe, il le souleva doucement. Le petit corps était doux et chaud contre ses paumes. Il sentait le cœur battre la chamade sous ses doigts.

« Il a peur, il tremble, constata-t-il, en approchant ses lèvres de la fourrure soyeuse pour l'embrasser.

— Rien d'étonnant, expliqua Jim. On ne l'a sorti de la matrice qu'hier.

— Il est viable ? demanda l'un des invités.

— Bien sûr, dit Clara, il est même très solide. C'est non seulement un hybride mais un amélioré.

— Il va encore grandir ? s'enquit la jeune femme derrière Jim.

— Non, il a atteint sa taille définitive. Nous

sortons les hybrides des matrices à maturité maintenant.

— Comment vas-tu l'appeler, Charley ? demanda une des jeunes filles présentes.

— Il a déjà un nom, répondit Charley, il s'appelle Odilon.

— Odilon, répéta la fille, c'est joli. C'est toi qui as choisi ?

— C'est le nom du programme, expliqua Clara, mais Charley peut en parler aussi bien que moi. Il a suivi le projet depuis le début.

— Odilon est un sigle, précisa Charley tout en caressant le charat lové au creux de son bras, O pour Organisme, Di pour divergent, LO pour lois et N pour naturelles. Organisme divergent des lois naturelles. C'est un charat, un mélange de chat et de rat.

— On peut difficilement trouver plus surprenant comme mélange ! dit Paul, un des techniciens. Je parie que vous allez nous fabriquer un homme-oiseau un de ces jours, ajouta-t-il à l'adresse de Clara.

— Si on buvait à la santé de Charley ? » coupa la jeune femme en se dirigeant vers le buffet.

Tout le monde la suivit.

Charley resta à l'écart. Il s'assit dans un fauteuil et, posant Odilon sur ses genoux, se mit à l'observer minutieusement. À maintes reprises il était allé

regarder le charat à travers les parois de plasverre de la matrice artificielle. Petit à petit, il avait vu l'étrange animal se développer.

Du chat, il avait gardé la fourrure soyeuse à poils longs ainsi que les petites oreilles pointues. Du rat, il avait la longue queue annelée et les pattes avant ressemblant étrangement à des mains à quatre doigts.

Le regard de l'animal était fascinant. Noir, brillant, profond. Il observait son jeune maître autant que Charley pouvait l'examiner. Ils étaient nez à museau, les yeux dans les yeux. Charley découvrait ceux d'Odilon pour la première fois. Dans la matrice, le charat flottait dans son liquide les yeux clos.

« Charley, viens manger du gâteau ! dit Clara.

— J'arrive. »

Il se leva du fauteuil.

« Qu'est-ce que je vais faire de toi ? » dit-il à Odilon, qu'il tenait à bout de bras, les mains glissées sous les pattes avant du charat.

Mû par une inspiration subite, il posa l'animal sur son épaule. Le charat, guère plus grand qu'un chaton, s'accrocha un peu dans le pull, tourna, renifla, puis se cala contre Charley, le museau contre sa joue, sa longue queue derrière la nuque autour du cou, faisant balancier. Ainsi installé, il ne risquait pas de tomber même si Charley marchait un peu vite.

« On dirait que tu as trouvé ta place, petit frère. Allez viens, on va déguster mon gâteau d'anniversaire. »

*
* *

La fête battait son plein. Les uns dansaient, les autres discutaient devant le buffet lorsque la porte s'ouvrit. Deux personnes entrèrent. Charley les dévisagea. Deux têtes nouvelles ! C'était la première fois depuis des années qu'il voyait en chair et en os des individus inconnus. Il y avait un homme d'âge mûr et une jeune femme. Le silence était tombé d'un coup dans la pièce. L'instant de surprise passé, Jim s'approcha de l'homme et lui tendit la main.

« Monsieur le Directeur, c'est un honneur de vous recevoir, nous n'espérions pas vous voir.

— Votre invitation m'est parvenue à temps. J'ai pensé qu'il serait bien que je vienne revoir Charley. »

Revoir... songea Charley, mais je ne connais pas cet homme ! Je ne l'ai jamais vu.

« Charley, viens, approche-toi, lui dit Clara en le poussant pour le forcer à sortir de la masse des invités.

— Bonjour, Clara, dit l'homme, vous êtes toujours aussi séduisante.

— Merci, monsieur le Directeur. Voici Charley. »

Surpris, l'homme haussa les sourcils. La femme qui l'accompagnait prit soudain la parole :

« Il est grand pour son âge, il n'a pourtant été achevé qu'en quatre-vingt-di...

— Charley est un adolescent maintenant ! la coupa vivement Jim en la prenant par le bras. D'ailleurs nous fêtons ses quinze ans ce soir. Voulez-vous prendre un verre ? Regardez, nous avons un buffet splendide préparé par Ralph, notre cuisinier. Vous savez, à l'Usine, on ne manque de rien. »

Devant le flot de paroles de Jim, la jeune femme resta bouche bée, puis elle se renfrogna en croisant le regard du Directeur et celui de Clara qui lançait des éclairs.

Mais que se passait-il donc ? Charley sentait l'air comme électrisé autour de lui. Il chercha à croiser des regards amis. Mais les yeux se détournaient. Paul, Ralph, Claudie et les autres, tous semblaient absorbés par le contenu de leur verre ou l'aspect de leur petit four.

« Charley, suggéra Clara d'une voix douce, si tu allais faire prendre l'air à Odilon, il a besoin de fortifier ses petits poumons... Il fait bon dehors, tu peux lui montrer le jardin. »

À l'évidence, elle souhaitait qu'il s'éloigne. Charley jeta un regard circulaire. Personne ne viendrait à son aide. Tout le monde avait l'air gêné. La fête était gâchée.

Odilon effleura sa joue du bout de ses moustaches. Sous ce contact léger, une partie de sa déception s'envola. Que lui importaient les histoires des adultes ! Il avait désormais un compagnon. Depuis le temps qu'il rêvait d'avoir un véritable ami autre que Carl, l'hologramme de l'ordinateur central, ou le personnel de l'Usine.

« Tu m'appelleras quand tu voudras que je revienne ! » dit-il à Clara pour lui montrer qu'il n'était pas dupe de sa manœuvre. Elle eut un petit sourire triste en lui passant la main dans les cheveux.

Sans un regard vers le Directeur ni les autres, il se dirigea vers la porte et sortit.

Quelques minutes plus tard, comme il longeait les fenêtres du salon pour rejoindre le jardin derrière le bâtiment, il entendit des éclats de voix féminines. Clara...

« Tenir votre langue, c'est au-dessus de vos moyens !

— Mais je ne pouvais pas deviner que vous ne lui aviez rien dit. C'était pourtant convenu qu'il devait tout savoir avant la fin de cette année !

— Parce que vous pensez que ce genre de choses est facile à dire...

— Évidemment, si vous vous croyez obligée de jouer les mères-poules...

— Jim, retiens-moi ou je lui colle une gifle !

— Mesdames, voyons, intervint le Directeur, un

peu de tenue. Nous sommes justement ici ce soir pour mettre les choses au clair, mais dans le calme et la collaboration. Clara, ma chère, excusez ma secrétaire, elle travaille peu sur le projet Charley et...

— Chut ! » dit soudain quelqu'un.

Une silhouette que Charley, à contre-jour, ne reconnut pas ferma brusquement la fenêtre et tira les doubles rideaux.

Le jeune garçon était pétrifié. *Le projet Charley...* Il resta un instant immobile, puis devant le flot d'idées qui se bousculaient dans sa tête, il se mit à courir en direction du jardin. Au bout de quelques mètres, il s'arrêta pour retirer Odilon de son épaule car les griffes du charat lui labouraient la chair.

Serrant l'animal contre sa poitrine où son cœur s'affolait, il reprit sa course.

Derrière le bâtiment où il habitait, un véhicule inconnu était stationné. Il ressemblait aux aéroglisseurs que Charley avait vus maintes fois dans les vidéos de l'Extérieur. Sans doute appartenait-il au Directeur. Charley ralentit en passant au niveau du véhicule. La carrosserie était brillante, racée. Un vrai bolide conçu pour fendre l'air à haute altitude. Le garçon n'avait jamais eu l'occasion de contempler l'intérieur d'un tel engin. Il se pencha pour regarder par la vitre de la portière. Il était du côté conducteur. Il examina le tableau de bord, puis jeta un regard circulaire pour détailler l'habitacle.

Quelque chose était posé sur le siège passager. Un dossier.

Charley contourna le véhicule et se pencha pour lire ce qui était inscrit sur l'épaisse chemise cartonnée.

Une chape glaciale tomba sur ses épaules. Il se releva lentement et dut s'appuyer contre la portière tant ses jambes semblaient devoir lui manquer. Il connaissait ce type de sigle. Il ne le connaissait que trop bien. Il observa le charat niché au creux de ses bras. O. Di. Lo. N.

Sur le dossier était inscrit en lettres de feu :

Projet C.H.A.R.L.Ey.

2

C.H.A.R.L.Ey

Depuis des heures, Charley était caché dans les superstructures métalliques de l'Usine. Clara, Jim et les autres s'étaient époumonés à hurler son nom à travers les bâtiments. Ils étaient passés à trois reprises en dessous de lui. Il les avait regardés sans faire un geste. Sans pitié. Ils lui avaient semblé ridicules, n'ayant aucune chance de le retrouver. Ils ne connaissaient pas l'Usine comme lui. Après tout, c'était son seul univers. Eux, ils avaient la chance de connaître autre chose, ils n'étaient pas des produits de laboratoire...

La douleur était si vive au creux de sa poitrine qu'à plusieurs reprises il s'était roulé en boule à même le sol, gémissant mais incapable de pleurer. Pourquoi ? De quel droit avaient-ils fait ça ? Pourquoi LUI ? Qu'est-ce qu'il était exactement ? Un monstre ?

Vers trois heures du matin, l'aéroglisseur du Directeur avait décollé, puis après avoir survolé un instant l'Usine, avait foncé vers le nord. Là-bas se trouvaient les villes, ces endroits magiques où Charley avait tant de fois demandé à se rendre. Il comprenait maintenant pourquoi on n'avait jamais voulu l'y conduire. On ne prend pas le risque de perdre dans la foule, de plonger dans la vie, un cobaye de plusieurs milliards de crédits.

Il caressa Odilon.

« À nous deux, petit frère, on vaut une fortune. Un monumental paquet de billets qui va leur échapper. »

L'aéroglisseur emportait le dossier et avec lui un secret qui n'en était plus un pour Charley. Après avoir ouvert la portière du véhicule, il avait lu la première page.

C pour cobaye, H pour humain, A pour amélioré, R résistant, aux Lieux Extraterrestres : C.H.A.R.L.E y. Il avait compris la signification du *Y* en lisant plus loin. Ce *Y* était le symbole du chromosome masculin. Il était un cobaye mâle. Y avait-il quelque part une autre Usine, avec une C.H.A.R.L.E x, une fille semblable à lui ? Comme lui fabriquée dans un labo ? Mais non. En lisant un peu plus avant, la tête en feu, les poings serrés de fureur et de désespoir, il avait appris qu'il était un exemplaire unique, un prototype, un essai...

« L'essai est réussi, petit frère, JE suis réussi ! »

Odilon s'était endormi contre la jambe de Charley. La nuit était profonde maintenant. Jim, Clara et les autres avaient abandonné leurs recherches. Ils avaient dû penser qu'il rentrerait quand il aurait faim. Peut-être avaient-ils compris qu'il avait découvert la vérité. Devant l'horreur de la révélation, il avait fui, laissant le dossier en vrac et la portière de l'aéroglisseur ouverte. Il n'avait lu que la première page. Qu'importait...

Il en savait assez. Assez pour comprendre qu'en quelques heures sa vie avait définitivement basculé. Son enfance était finie. Il était devenu quelqu'un d'autre, quelqu'un d'inconnu.

Soudain il se leva, manquant se cogner la tête dans les poutres d'acier du sous-toit où il s'était réfugié. Odilon, réveillé par surprise, eut un petit bâillement et se redressa pour observer son jeune maître.

Avec rage Charley était en train de se déshabiller. Quand il fut entièrement nu, il se mit à examiner son corps sous toutes les coutures. Après quelques instants, il dut se rendre à l'évidence. Rien, il n'avait absolument rien de différent de la veille ou des autres jours. Ses muscles étaient bien développés grâce aux différents sports qu'il pratiquait quotidiennement, sa peau était bronzée par les bains de soleil près de la piscine, son visage qu'il apercevait dans un reflet métallique était celui d'un adolescent brun aux yeux verts, joli garçon sans plus, même son sexe était normal autant qu'il puisse en juger par comparaison avec celui de Jim ou des planches anatomiques de ses vidéos de sciences naturelles !

Qu'avait-il donc d'*amélioré* ?

C'était peut-être interne... Certes, il ne se souvenait guère d'avoir été malade. Une ou deux fois, tout petit, mais c'était consécutif à des vaccins. D'accord, il pouvait courir longtemps sans se fatiguer, plonger en apnée plus que la normale, grimper sans avoir le vertige, mais tout cela pas mal d'autres personnes en étaient capables.

Son cerveau alors ? Il était intelligent oui, mais pas un génie. Il avait des connaissances très précises en astronautique, en techniques de survie, en exoplanétologie...

À ce point de ses réflexions, il eut un frisson. Pas seulement dû au fait qu'il était nu. Amélioré pour résister dans des lieux extraterrestres, disait le sigle de son nom...

Qu'avaient-ils l'intention de faire de lui ? Une sorte de super-explorateur parachuté sur des planètes inconnues, seul, toujours seul, mission après mission, comme dans les plus mauvais romans de conquête de l'espace...

Lentement il entreprit de se rhabiller.

Un humain amélioré pour lequel on comptait bien déposer un brevet de propriété industrielle comme c'était déjà fait sur plusieurs des combinés génétiques créés dans l'Usine. Les ingénieurs en déposeraient un sur le charat dès qu'Odilon, le prototype, aurait prouvé qu'il était fiable. Avec cet étonnant animal de compagnie, dupliqué à des milliers d'exemplaires, la société propriétaire de l'Usine comptait gagner beaucoup d'argent.

Et lui ? À qui devait-il être vendu ? Dans quel but ? On fabriquerait des centaines de Charley pour explorer les nouvelles planètes. Les trente déjà colonisées suffisaient pourtant bien à loger l'humanité. Mais certains richissimes propriétaires voulaient sans doute s'offrir un monde pour eux seuls. Alors on enverrait un Charley en reconnaissance et le tour serait joué. Si le Charley résistait, en fonction des données qu'il rapporterait, on s'installerait.

Une nausée secoua le jeune garçon. Il savait qu'il n'était pas loin de la vérité, même s'il exagérait sans doute sous l'empire de la colère et du désespoir.

« Eh bien, c'est raté ! Leur beau projet, foutu, lessivé, fini, mort ! Je vais me tuer. Comme ça ils auront tout faux. »

Odilon, réagissant à la voix de Charley qu'il avait

si souvent entendue à travers les parois de sa matrice de verre, vint se lover contre lui en ronronnant. Malgré sa peine, le garçon ne put s'empêcher de sourire.

« Un rat qui ronronne et un mec chasseur d'E.T. Ah, on fait une belle paire tous les deux ! »

Une idée s'imposa soudain à lui. S'il se supprimait, qu'allait devenir Odilon ? Il n'aurait pas le courage de le tuer lui aussi. Les autres le trouveraient, l'observeraient, puis mettraient leur projet à exécution. Ils fabriqueraient des charats à la chaîne. Et Odilon finirait comme joujou d'un gosse hurleur en ville. Non, il ne pouvait pas faire ça à son petit compagnon. Il n'allait pas l'abandonner.

Fuir. Oui, mais comment ?

*
* *

À cinq heures du matin les systèmes d'évacuation de l'Usine se mirent en marche. Toutes les ordures accumulées pendant les dernières vingt-quatre heures furent compressées puis précipitées dans de gigantesques tuyaux en direction d'énormes containers. Les containers furent dirigés par des treuils antigravitation vers l'aile droite de l'Usine. Quelques minutes plus tard, un vaisseau collecteur du Service Planète Propre survola en silence la zone et activa ses systèmes d'aspiration. Les douze containers identifiés SPP s'élevèrent doucement pour s'encastrer dans les soutes où des dizaines d'autres étaient déjà arrimés.

Au même moment, Jim se levait pour se préparer un café sans avoir réussi à fermer l'œil de sa courte nuit. Il avait l'intention de laisser Clara dormir encore un peu, abrutie par son somnifère. Il allait essayer seul de retrouver Charley.

Le soleil apparut à l'horizon et se refléta contre les parois métalliques du vaisseau collecteur d'ordures. Mais depuis l'appartement Jim ne le vit pas. L'Usine faisait trois kilomètres de long. La zone d'habitation était à l'opposé de celle du stockage des déchets.

Charley et Odilon étaient dans le container n° 563-501-02.

*

* *

Le voyage dura sept jours. Sept jours où se succédèrent l'espoir et la terreur. Charley avait emporté de l'eau et du sucre dénichés dans les bureaux. Il avait pris aussi les sachets de thé, de café, de chocolat. Il n'y avait que cela de comestible. La cantine était trop proche de la zone d'habitation. Il n'avait pas osé s'y risquer.

Lorsque les broyeurs de l'Usine s'étaient mis en route, il avait déjà trouvé refuge avec Odilon et ses

563-501-C2
0715
5-28
4

provisions dans le cylindre en titane d'une turbine qu'on venait de démanteler. Les parois avaient résisté aux mâchoires écrasant les ordures. Enfermés dans leur container, Charley et Odilon avaient été ballottés sept jours comme des fétus de paille, ignorant totalement ce qu'il advenait d'eux.

Charley comprit qu'ils partaient dans l'espace lorsqu'il sentit la terrible poussée du décollage. Il s'était dès lors terré dans son cylindre où il avait accumulé tout ce qui dans le container n° 563-501-02 était susceptible de protéger du froid. La température avait chuté très vite, l'air s'était raréfié. Charley n'avait eu d'autre solution que de ralentir toutes les fonctions vitales de son organisme pour survivre. Il s'était, à ce moment-là, félicité d'avoir bien assimilé toutes les techniques qu'on lui avait enseignées à l'Usine. Les déchets autour de lui ne contenaient rien de putrescible. Il y resta enfoui tout le temps que dura le voyage.

À plusieurs reprises, il se demanda où il allait. Mais qu'importait le lieu de destination. Il était sorti de l'Usine, c'était l'essentiel. Même au milieu des pires ordures, il serait dans un endroit plus propre que cette Usine où on lui avait tellement menti. Il serait temps à l'arrivée de voir venir le lendemain.

Odilon était plaqué contre la poitrine de Charley, à même sa peau, en quasi-hibernation. Il puisait un peu de chaleur dans la température corporelle de

Charley, pourtant tombée à 27 degrés. C'est dans cet état de semi-coma qu'ils arrivèrent à destination. La décélération et le brutal réchauffement du vaisseau rentrant dans une atmosphère faillirent les faire mourir plus sûrement que le vide spatial. Les soutes du vaisseau collecteur s'ouvrirent d'un coup à deux cents mètres d'altitude. Les containers glissèrent sur leurs rails les uns après les autres et furent précipités dans le vide. Derrière le vaisseau, un chapelet de rectangles d'acier s'abattit en tournoyant vers le sol.

Charley eut de la chance. Il eut la vie sauve pour deux raisons. Tout d'abord le pilote était un employé consciencieux et respectant les consignes. Il était descendu jusqu'à deux cents mètres avant d'ouvrir ses soutes. La plupart des pilotes des vaisseaux-collecteurs, pour gagner du temps, larguaient leurs containers à mille ou deux mille mètres.

Ensuite, le sol sur lequel s'écrasa le container n° 563-501-02 était meuble, constitué d'une épaisse couche de cendre qui s'éleva en gerbe sous l'impact et retomba doucement en pluie fine sur le métal.

Plus tard, Charley apprendrait qu'il était le premier à avoir eu cette chance. D'autres comme lui s'étaient cachés dans des containers aux quatre coins de l'espace connu. Mais ils n'avaient pas résisté au largage. Ils étaient morts écrasés avant même d'avoir su où ils étaient.

Là était la particularité de cette planète. Ses habitants, à part une minorité infime, n'avaient appris son nom qu'en y arrivant en même temps qu'ils découvraient l'impossibilité d'en repartir...

Personne dans la Confédération Planétaire ne se souciait de la planète poubelle. Personne, parmi les milliards d'habitants des Trente Mondes, ne connaissait le nom de Vulcain.

3

Jani

Charley revint à lui quand la langue râpeuse d'Odilon et son museau frais se posèrent sur son cou. Il ouvrit les yeux, aspira goulûment un peu d'air et se mit aussitôt à tousser. L'air était chargé de cendres et d'une odeur âcre et désagréable.

Un éclat de rire retentit au-dessus de lui.

« Vulcain te tient ! »

Charley se releva d'un coup et, se prenant les pieds dans un amas d'objets autour de ses jambes, tituba pour mieux retomber assis.

Le rire retentit à nouveau. Il était clair, léger. Charley regarda autour de lui. Il était au milieu de la cargaison du container éventré sur toute sa longueur, à flanc de montagne. Loin en bas à ses pieds, s'étendait une vallée noyée dans le brouillard et, en face de lui, à l'horizon, se dressait une chaîne de volcans. Mais son regard ne fit que balayer rapidement le décor, sans même prendre conscience de ce qu'il voyait. Il cherchait d'où venait le rire.

« Je suis là, dit la voix, derrière toi. »

Charley se retourna. Perchée sur le toit du container, assise les jambes pendantes dans le vide, se tenait une fille vêtue d'une étrange tenue colorée. Ses cheveux disparaissaient sous un drôle de chapeau et ses chevilles émergeaient d'un fouillis de jupes et de jupons.

Charley fit une nouvelle tentative pour se relever et cette fois y parvint.

« Bravo, ironisa-t-elle, le nouveau-né sait tenir debout. »

Elle rit pour la troisième fois et Charley ne put s'empêcher d'en faire autant.

« Je descendrais bien près de toi, dit-elle, mais je ne sais pas si ton ange gardien est dangereux. »

Elle montrait Odilon du doigt.

« Depuis que je t'ai trouvé, il est près de toi à cracher comme un diable. Il a réussi à maintenir les rats à bonne distance. »

Charley suivit le regard de la fille. Une trentaine de rats grouillaient à une dizaine de mètres. Odilon grimpa sur l'épaule de son maître, toujours crachant vers la menace. Charley sourit. C'était la moitié « chat » du charat qui prévalait pour l'instant.

« Odilon ne te fera pas de mal. Il me protégeait tout simplement, dit-il en se tournant à nouveau vers la fille.

— J'attendais que tu te réveilles, dit-elle, pour te demander pourquoi tu dormais à cet endroit.

— Je ne dormais pas, répondit Charley, j'étais évanoui, assommé par la chute. »

Il leva les yeux vers le ciel.

« Tu veux dire que tu as été largué ? demanda la fille incrédule.

— Oui, sans doute, j'ai senti que le container tombait et, au moment de l'impact, j'ai perdu connaissance. »

Stupéfaite, la fille se redressa, prit alors son élan et sauta à pieds joints dans la cendre à côté de lui. Ses jupes firent un parachute multicolore autour d'elle. Elle les remit en ordre d'un geste rapide et gracieux mais Charley avait eu le temps d'apercevoir ses jambes fines et brunes.

« Tu as survécu au largage..., dit-elle. C'est incroyable ! Qui es-tu ? »

Elle posa la main sur son cœur et s'inclina légèrement.

« Moi, je m'appelle Jani.

— Et moi Charley. »

Au moment où il prononçait son nom, il se dit

qu'il aurait dû se taire. Ce nom était le meilleur moyen pour que l'Usine le retrouve. Il se mordit les lèvres. Trop tard.

« Charley, c'est original, dit Jani. Première fois que j'entends ça. »

Comme Charley ne disait rien, elle poursuivit :

« Et toi tu as déjà rencontré une Jani ?

— Je n'ai jamais rencontré de fille. »

Elle le regarda de biais, puis fronça les sourcils.

« Jamais de fille... appelée Jani ?

— Jamais de fille. »

Constatant sa mine qui se renfrognait, il se hâta d'ajouter :

« Jani, c'est joli.

— Hé, tu te moques de moi. Depuis le début peut-être. J'aime pas ça. »

Elle tourna les talons et s'éloigna d'un pas léger sur la cendre. Il voulut lui courir après mais ses pieds s'enfoncèrent dans la couche grise et collante. Il jura.

« Défécation ! »

En l'entendant, elle se retourna. Il était tombé à genoux et secouait ses deux mains noires de suie. Elle revint vers lui et lui tendit la main en riant à nouveau.

« Dis donc, moineau, de quel nid tu tombes pour jurer aussi poliment et n'avoir jamais vu de fille ?

— Je ne sais pas.

— Ah ! parce qu'en plus tu ne sais pas d'où tu viens !

— Si je sais d'où je viens, de l'Usine.

— De l'usine... Et elle est où l'usine ?

— La Terre. En Ancienne Europe, je suppose. Je me suis enfui... avec les ordures.

— Ça, je le sais.

— Comment tu le sais ?

— Ça se voit, non ? » dit-elle en faisant un large geste du bras.

Charley remarqua alors pour la première fois qu'à perte de vue autour d'eux il n'y avait que des containers d'ordures éventrés, des milliers de sacs poubelles à demi enfouis dans les cendres crachées par le volcan qui culminait à mille mètres derrière eux.

« Mais comment tu sais que je me suis enfui ? »

Jani éclata de rire.

« Parce que tous ceux qui arrivent sur Vulcain s'enfuient de quelque part. Tu connais des gens qui viendraient ici VOLONTAIREMENT ?

— Vulcain..., reprit Charley, c'est le nom de la planète ?

— Gagné l'oiseau ! Vulcain pour vous séduire. On jette, on nettoie, on élimine partout dans la Confédération et c'est Vulcain qui récupère. Les Trente Mondes sentent bon et Vulcain pue.

— Mais pourquoi tu es là, toi ? » demanda Charley en la dévisageant.

Elle était mignonne, une petite brunette pétillante, aux pommettes hautes, aux yeux légèrement bridés. Ses cheveux s'échappaient en mèches folles de son chapeau et lui faisaient une auréole autour du visage.

« Je suis née là, moi. Je suis une vraie Volcanette. Il y a deux catégories d'habitants sur Vulcain, les Volcanos, dont je fais partie, on dit Volcanette pour les filles comme moi, et les Ords, ce sont les chefs. »

En disant cela elle crachota en direction du ciel. Son visage prit une expression tellement dégoûtée que Charley ne put s'empêcher de rire.

« Ce n'est pas drôle, protesta-t-elle. Les Ords ont tout. L'argent, la sécurité, le matériel le plus perfectionné...

— Ord, ça vient d'ordure ? l'interrompit Charley.

— Oui. Mais ils voudraient bien l'oublier ! Les premiers colons officiels portaient le titre pompeux d'Ordureux Accrédités. Quand on est dans la fange, on y reste. Leurs descendants sont devenus les Ords. Mais ils ont construit leur ville à l'abri, loin des largages et des volcans ! Oh... à ce propos... »

Elle plongea sa main dans les replis de sa jupe et sortit un objet métallique qui ressemblait à une petite canne. D'un geste énergique de la main, elle secoua la chose qui se déplia sur un bon mètre. Elle en ficha la pointe dans la cendre en pesant de tout son poids pour l'enfoncer le plus profond possible.

« Qu'est-ce que c'est ? demanda Charley, intrigué par tout ce manège.

— C'est ma sonde », répondit-elle en se penchant vers le coude de métal.

Elle approcha sa bouche du tube coudé et le prit entre ses dents. Elle ferma les yeux. Tout son corps arqué était tendu. Elle tenait ses mains croisées dans son dos. Le seul contact qu'elle avait avec la sonde était ses dents et ses lèvres. Charley ne bougeait pas d'un millimètre. Il sentait confusément qu'il se passait quelque chose de vital sous ses yeux. Au bout d'une minute environ, elle rouvrit les yeux et lâcha son étreinte autour du tube.

« Ça va, on ne craint rien, dit-elle. Il n'y aura pas d'éruption dans l'heure qui vient. La sonde ne vibre pas.

— Cet appareil te permet de savoir si le volcan va entrer en éruption ? demanda Charley, perplexe.

— Cet appareil n'est jamais qu'une tige creuse. Ce qui me permet de sentir l'éruption venir, c'est mon corps. La partie la plus sensible aux vibrations d'un corps humain, ce sont les dents. Voilà pourquoi je mords la sonde.

— Tout le monde fait ça ?

— Toutes les filles essaient quand elles sont petites. Les garçons n'y arrivent jamais aussi bien que nous. Certaines filles le font mieux que d'autres. Actuellement à Hidos, je suis une des meilleures ! »

Elle était toute fière d'annoncer cela. Ses yeux brillaient. Charley sourit. Cette fille était à l'image des volcans de sa planète, en permanente ébullition !

« Qu'est-ce que tu appelles Hidos ? demanda-t-il encore.

— C'est la ville où j'habite. Viens, je t'emmène avec moi. De toute façon, j'ai gagné ma journée. En te trouvant, j'ai trouvé une fortune. »

Charley se figea. Que voulait-elle dire ? Allait-elle le dénoncer et le vendre à la police qui le ramènerait à l'Usine ?

Elle ouvrit le sac qu'elle portait en bandoulière.

« J'ai ramassé ça près de toi avant que ton Odilon ne se mette à cracher. »

Elle montra les sachets de thé, de chocolat et de café que Charley avait emportés avec lui.

« C'est ça ta fortune ? interrogea-t-il, sceptique.

— Et comment ! dit-elle. Les sachets de thé, quand ils arrivent sur Vulcain, ils ont déjà été infusés d'habitude, le chocolat est en barre et rance, et le café, on n'en connaît que le marc. »

Charley eut une moue de dégoût.

« Vous vous nourrissez avec les ordures ?

— Bien sûr que non, idiot ! On cultive plein de choses, mais il y a des produits qu'on n'a pas, ou en très petite quantité, et à des prix exorbitants. Le thé, le café et le chocolat en font partie. »

Elle s'était mise en marche. Charley hésitait à la suivre.

« Tu viens ? demanda-t-elle.

— Où cela ?

— Chez moi. Tu vas voir, mes parents sont bien. Ils vont te plaire. Ils s'appellent Djiz et Doria.

— Mais moi est-ce que j'ai des chances de leur plaire ? s'inquiéta Charley.

— Quand j'aurai dit à mon père que tu as survécu au largage... il comprendra que tu es solide pour faire ta part de travail.

— Quel travail ? »

Charley restait immobile. Elle fit un large geste du bras englobant l'immense décharge autour d'eux.

« Eh bien, la récupération, dit-elle. Nous sommes des nettoyeurs. Autant t'y faire le plus vite possible. Maintenant que tu es là... On ne repart pas de Vulcain.

— Jamais ?

— Personne. Sauf les Ords. Tu veux repartir ? »

Charley n'eut pas à réfléchir. La question ne se posait même pas. Repartir ? Pour se retrouver cobaye entre les mains de généticiens qui l'examineraient comme le fruit de leurs recherches ?

« Non. »

Jani lui souriait. Il s'approcha et ils se mirent en marche côte à côte. La vie était là. Désormais il était un Volcano.

4

Hidos

Tout en cheminant le long des sentiers qui descendaient vers la vallée, Jani et Charley discutaient. De temps en temps, ils s'arrêtaient et Jani pointait son doigt dans telle ou telle direction, expliquant à Charley où se trouvaient les lieux importants du monde qui était désormais le sien.

« Là-bas, loin au sud, à plus de deux mille kilomètres, il y a l'île-continent d'Epha, le domaine des Ords. Ils sont protégés au milieu de l'océan.

— Pourquoi ?

— Il n'y a jamais de largage d'ordures dans la mer. La décharge, c'est bon pour nous, sur le continent.

— Il est grand ? »

Jani s'arrêta, ramassa une brindille et lissa la cendre du sentier. Elle traça un cercle, un axe et dessina un immense huit recouvrant les deux pôles et se rétrécissant à l'équateur.

« C'est Vulcain, dit-elle, se tournant vers Charley qui venait de s'accroupir à côté d'elle. Un seul continent immense, tailladé partout par d'immenses chaînes de volcans. »

Du bout de sa brindille, elle traçait des stries profondes en travers du huit, du nord au sud.

« Pour te donner une idée, nous sommes dans la chaîne du Natoubo. Elle fait trois mille kilomètres de long. Et il y en a des centaines comme ça. »

Elle continuait à creuser des scarifications dans la peau tendre de sa planète dessinée.

« Ce qui nous sauve, c'est l'océan, il est immense. L'air devient respirable parce que les cendres et les gaz se dispersent dans la haute atmosphère et retombent en pluies dans la mer. Epha est là, dit-elle en plantant sa brindille d'un geste rageur dans l'immensité lisse, et Hidos est ici. »

Elle se releva, tendant le bras en direction de la vallée. Mais Charley regardait le point dessiné sur la carte : à l'intérieur des terres dans l'hémisphère Nord, au cœur d'une des grandes chaînes de volcans, Hidos, capitale des Volcanos.

Jamais Charley n'aurait imaginé qu'un endroit

semblable puisse exister. Hidos tirait son nom de la hideur et le portait bien. Les rares bâtiments construits en dur étaient en pierre volcanique noire, triste, lugubre. Le seul quartier bâti était au point culminant de la ville, sur une colline au centre de la vallée. Par un absurde défi, on l'avait baptisé : Clairmont.

En contrebas du quartier Clairmont, dans la vallée, s'étendait le reste d'Hidos. C'était un incroyable imbroglio de ruelles qui s'entrecroisaient sans aucune logique. On comprenait à voir la ville depuis les hauteurs que les quartiers s'étaient ajoutés les uns aux autres au gré des arrivants.

Chacun construisait sa maison comme il pouvait en récupérant des containers. Chaque nouvelle famille s'installait à côté du dernier venu et la ville grandissait ainsi, s'éloignant de plus en plus de Clairmont, lançant ses tentacules en direction des quatre points cardinaux de la vallée.

« Les Hidosiens sont courageux, dit la jeune fille avec fierté, ils ne craignent que les konts. »

Charley interrompait la jeune fille chaque fois qu'il ne comprenait plus. Il apprit ainsi plus de vocabulaire en deux heures que dura leur descente vers Hidos que s'il avait eu droit à un cours d'adaptation linguistique par hypnose.

Les containers qui tombaient du ciel quasiment

sans arrêt étaient à la fois la bénédiction et la malédiction de Vulcain.

Un container qui atteignait le sol sans trop de dommage était une *source* mais, s'il explosait ou perdait sa cargaison, on l'appelait une *débâcle*. Sources ou débâcles, les containers qui tombaient sur les volcans n'étaient pas dangereux. Ce que craignaient par-dessus tout les Volcanos, c'étaient les *konts*. Ils nommaient ainsi les containers qui s'écrasaient sur les villes ou les villages, véritables bombes entraînant la mort des habitants au point de chute.

« Vous ne pouvez rien faire ? demanda Charley, effrayé par les récits dramatiques de Jani.

— Pas grand-chose. À Hidos, les comités de quartiers sont tenus de construire des abris chaque fois qu'il y a cent habitants de plus. Mais dans certains quartiers les abris sont inexistants, ou très vieux, ou trop petits. Bref, la plupart des gens n'y descendent jamais. Et les konts tuent chaque année un peu plus de monde.

— Mais vous ne pourriez pas négocier avec les pilotes pour qu'ils larguent leurs trucs ailleurs ? »

Jani se mit à rire en hochant la tête.

« Les pilotes ? Ils ne savent même pas qu'on existe ! Ils se mettent en orbite haute, ouvrent leurs soutes et larguent. En dessous, advienne que pourra. De toute façon, officiellement seuls les Ords vivent sur Vulcain.

— Combien sont-ils ?

— Vingt mille, je crois.

— Et les Volcanos ?

— Environ dix millions, paraît-il...

— Et à dix millions contre vingt mille vous n'avez jamais réussi à prendre le contrôle de la planète ? »

Jani pointa un doigt vers le ciel.

« Les satellites-tueurs. Les Ords portent tous un émetteur. Si l'un d'eux meurt assassiné, les satellites repèrent à quel endroit. Aussitôt un rayon détruit tout au sol sur une surface immense. »

Elle se tut. Charley comprenait mieux son geste de haine vers le ciel en parlant des Ords.

« Les Volcanos sont là depuis longtemps ? demanda-t-il.

— Environ soixante-dix ans. Et il en arrive encore tous les jours, des oiseaux dans ton genre.

— Dans les containers ?

— Non. Ça c'est exceptionnel. Tu as eu de la chance de t'en tirer. Les autres on les appelle les Vide-ordures. En général ce sont de pauvres bougres d'un peu partout sur Terre, candidats depuis des années à l'émigration vers l'un des Trente Mondes. Mais ils n'obtiennent jamais d'autorisation officielle. Ils sont toujours trop ou pas assez quelque chose. Du coup, ils deviennent la proie de passeurs leur promettant le paradis. Ils mettent leurs derniers sous dans un billet sur un vaisseau clandestin. Et un jour ils arrivent enfin. Ici !

— Mais c'est monstrueux ! s'écria Charley. Et ils ne peuvent plus repartir ?

— Ils n'ont plus d'argent. Et puis je te l'ai déjà dit. Aucun vaisseau ne décolle de Vulcain, à part ceux des Ords.

— Mais ceux qui amènent ces gens ?

— Ils ne se posent pas, de peur d'être pris d'assaut ! Ils débarquent leurs passagers par des toboggans. C'est pour ça qu'on les appelle les Vide-ordures. Mes grands-parents sont venus comme ça. Mes parents sont des natifs. Tout ce que je sais, sur la planète et tout ça, c'est ma grand-mère qui me l'a appris. Elle sait lire et écrire. C'est elle qui a voulu partir vers les étoiles... »

Charley leva les yeux vers le soleil, haut dans le ciel. Mais au-dessus de l'horizon, une autre sphère lumineuse, beaucoup moins brillante que la première, attira l'attention de Charley.

« Une étoile double, murmura-t-il.

— Albiréo A. Mais on dit le soleil, ça suffit. »

Ils atteignirent enfin les premiers quartiers de Hidos.

« Tu devrais cacher ton ange gardien, dit Jani en désignant Odilon niché contre le cou de Charley.

— Pourquoi ? demanda celui-ci. Odilon est parfaitement inoffensif.

— Ici, certains en voyant Odilon penseraient tout de suite à un plat en sauce avec des petits légumes autour. Nous n'avons que des animaux de boucherie ou de transport ici. Pas d'animaux de compagnie sur Vulcain ! C'est un luxe de riches.

— Où je le mets ? »

La jeune fille arrêta un gamin qui passait près d'eux. Il avait sur le dos un sac semblable à celui qu'elle portait elle-même. En échange de ce sac, elle proposa à l'enfant un des morceaux de sucre venus avec Charley. Les yeux brillants de convoitise, le garçon retira l'objet de son dos et le lui tendit. Charley était stupéfait. Échanger un sac cousu en tissu brodé contre UN morceau de sucre !

Voyant son air abasourdi, Jani dit en lui tendant le sac pour qu'il y cache Odilon :

« Je t'ai expliqué que nous n'avions aucun aliment superflu. Le sucre, il y en a dans les fruits, ça suffit. »

Odilon à l'abri, ils reprirent leur marche.

Charley regardait autour de lui avec une curiosité qui amusait Jani. La ville lui apparaissait moins sinistre que vue des flancs du volcan. Certes, les maisons étaient toutes de bric et de broc, faites de containers restaurés empilés les uns sur les autres. Mais on y avait creusé des ouvertures garnies de plastique en guise de fenêtres. Celles-ci étaient décorées de petits rideaux, et des pots où tentaient de pousser des plantes donnaient à l'ensemble un aspect vivable malgré tout. Partout la couleur prédominait. C'était la fin de la journée et une foule bigarrée circulait dans les ruelles. Les vêtements des femmes et des filles étaient tous aussi colorés que ceux de Jani. Le patchwork était de mise, puisqu'il n'y avait d'autre solution que de coudre ensemble les morceaux de tissus récupérés. Les hommes avaient des pantalons courts serrés sous les genoux et de hautes bottes lacées. La plupart des gens portaient quelque chose sur la tête. Les femmes et les filles de surprenants chapeaux, les hommes et les garçons une sorte de turban dont les longs pans pouvaient entourer le bas du visage. Charley remarqua alors les chapeaux féminins garnis de bandes de tissu fin pouvant, elles aussi, masquer le bas du visage. Interrogée sur la raison de telles coiffures, Jani, acerbe, répondit que, vivant sans cesse dans la fumée des volcans, la cendre et les mauvaises odeurs, les Volcanos étaient heureux de pouvoir protéger nez et bouche.

Soudain, alors qu'ils étaient dans une ruelle commerçante, elle lui demanda de l'attendre et le planta sans plus de formalités au milieu de la rue pour s'engouffrer dans une boutique. Il se précipita pour la rattraper et du coup bouscula un garçon de son âge, entièrement vêtu de bleu.

« Excuse-moi », dit-il en posant sa main sur l'épaule du garçon.

Celui-ci se dégagea aussitôt et, faisant la moue, passa sa main sur son épaule comme pour en chasser la trace d'une souillure.

« Crasse ! marmonna-t-il entre ses dents, fusillant Charley du regard.

— Je ne l'ai pas fait exprès, dit celui-ci, surpris d'une telle agressivité.

— Exprès ou pas, tu *sais* que tu ne dois pas me toucher.

— Non, je ne sais pas, répliqua Charley. Mais je m'en souviendrai.... si tu me dis ton nom.

— Mon nom ? »

Le garçon dévisagea alors Charley comme s'il ne l'avait pas encore vu.

« Tu viens d'arriver, constata-t-il en le détaillant de la tête aux pieds. Donne-moi ça ! » dit-il en saisissant le pull de Charley au niveau de la poitrine.

Charley repoussa la main du garçon avec fermeté.

« Moi non plus je n'aime pas qu'on me touche ! » dit-il avec un léger sourire.

Le garçon, interloqué, recula d'un pas.

« Tu as du culot, dit-il enfin. J'aime bien ça mais il y a des limites. Méfie-toi, Dech, je ne t'oublierai pas. »

Puis il fit demi-tour et disparut dans la foule.

« Tu es fou ! s'écria Jani derrière Charley.

— Fou ? Pourquoi ? Ce gars me parlait sur un ton ! Personne ne m'a jamais parlé comme ça.

— C'est un Ord ! gémit Jani. On obéit aux Ords.

— Pas moi, répondit Charley tranquillement.

— Attends un peu, dit Jani en haussant les épaules, quand tu auras vécu un moment ici, tu sauras qui ils sont.

— Je ne suis pas n'importe qui non plus, dit-il soudain. Je suis unique. Je suis Charley : C.H.A.R.L.E.Y. ! »

Il prenait un malin plaisir à énoncer le sigle de son nom sans que Jani en comprenne le sens. Pour la première fois depuis la révélation de ce qu'il était, il se sentait presque disposé à accepter la vérité.

« Comment m'a-t-il appelé ? demanda-t-il soudain. Dech... Qu'est-ce que ça veut dire ?

— Déchet. »

Charley haussa les sourcils.

« Quand je te dis que pour eux nous sommes de la boue... Allez, oublie-le. Tiens, regarde plutôt ça. »

Elle entrouvrit son sac et montra des galettes dorées, des pommes de terre et un gros morceau de lard.

« J'ai échangé ça contre seulement quatre sachets de ton thé. Et là, j'ai de quoi t'habiller comme un vrai Volcano contre trois sachets de chocolat en poudre. »

Elle désignait un grand paquet posé à ses pieds.

« Il valait mieux arriver à la maison avec des provisions et des habits, comme ça mes parents auront moins l'impression que tu coûtes cher. Je ne te dis pas la joie de ma grand-mère quand elle va voir le café ! Allez, viens, c'est tout près. »

Elle réajusta son sac, lui tendit le paquet et se dirigea vers une ruelle sur la droite. Charley ne pouvait que la suivre. Que serait-il devenu, seul dans Hidos, alors que la nuit commençait à tomber sur la cité des Nettoyeurs ?

5

Volcano

Des hurlements de sirène déchirèrent le silence de la vallée et montèrent le long des flancs du volcan jusqu'à la zone où travaillaient Jani et sa famille. Charley fut le seul à se relever pour scruter le ciel à la recherche des konts s'abattant sur Hidos. Odilon, imitant son maître, assis sur son derrière, tournait la tête en tous sens. Autour d'eux, les autres continuaient à s'affairer au milieu des déchets. Il ne fallait pas perdre de temps. Ils avaient découvert cette source deux heures plus tôt et comptaient bien l'exploiter avant l'arrivée d'un autre groupe. On était en Dizembre, les jours raccourcissaient. L'automne arrivait.

« Travaille, Charley, bougonna Djiz levant à peine les yeux du tas qu'il examinait.

— Konts ! » cria Charley pointant le doigt vers la couche de nuages d'où émergeait enfin le chapelet de containers fonçant vers la vallée.

Sa voix était si alarmée que Djiz s'interrompit enfin dans son travail et s'approcha de lui. Le père de Jani était un homme sensible et droit, qui avait à cœur d'offrir à sa fille le meilleur possible. Pour cela il travaillait dur, grattant les plaies de Vulcain avec acharnement depuis la naissance de Jani. Lorsque la jeune fille avait raconté dans quelles conditions Charley était arrivé sur les flancs du Natoubo, Djiz – ainsi que l'avait prévu Jani – s'était dit que la résistance de ce garçon était une chance à ne pas laisser passer. Il avait accepté le nouveau venu dans sa maison. Charley lui était reconnaissant de l'hospitalité dont lui et son épouse Doria avaient fait preuve.

Les volcans autour du Natoubo dominaient Hidos de trois mille mètres au moins. La longue chaîne des puys s'allongeait à perte de vue. Tous les volcans étaient en activité. Ils constituaient une immense dorsale qui s'étendait du nord au sud sur trois mille kilomètres. Une chaîne de volcans parmi les centaines qui couvraient Vulcain.

« C'est notre monde, Charley, il est comme ça, on n'y peut rien ! »

Charley ne s'habituait pas aux konts. Les sirènes

s'arrêtèrent. Les konts avaient atteint le sol. Peut-être avaient-ils écrasé une maison, des enfants... Les habitants d'Hidos ne descendaient quasiment jamais aux abris. Jani avait raison. Les abris ne servaient à rien. Le temps de prendre les bébés dans les bras, de courir à l'abri le plus proche, les konts avaient déjà atteint le sol ! Les Hidosiens croyaient en la chance.

« Si je n'avais pas vu la maison de Hyam écrasée sous mes yeux, je n'aurais pas aussi peur... » murmura Charley.

Quinze jours plus tôt un kont s'était écrasé à deux ruelles de la maison de Jani. À minuit. C'était rarissime. La plupart des pilotes se mettaient en orbite autour de Vulcain et larguaient de jour comme ils devaient le faire. Les Volcanos pouvaient au moins dormir tranquilles. Enfin presque. Quelques pilotes un peu trop pressés prenaient des libertés avec les règles et larguaient n'importe où, n'importe quand.

La maison de Hyam avait été écrasée, les demeures voisines gravement endommagées. Des décombres on avait retiré de nombreux blessés. Quand, au bout de deux jours, on avait enfin réussi à découper les parois du container, on avait retrouvé en dessous la famille de Hyam. Charley avait aidé au sauvetage. Il ne s'en était pas encore remis. Hyam était une amie de Jani. Elle était rieuse et sympathique. Il y avait désormais son nom sur une plaque dans le crématorium d'Hidos. Ses cendres avaient été mêlées à celles des volcans.

Jani vit son père parler avec Charley. Elle s'approcha d'eux. Elle se doutait que les sirènes avaient perturbé le garçon. Pauvre Charley, il faisait des efforts considérables d'adaptation, mais les coutumes, le travail, les volcans, tout était si différent du monde protégé d'où il était venu...

« Jani, lui dit son père en la voyant approcher, as-tu sondé ?

— Pas depuis trois quarts d'heure environ, répondit-elle. Je vais le faire. »

Elle se livra alors à ce rituel qui avait paru si étrange à Charley le premier jour. Tandis qu'elle mordait à pleines dents la tige métallique de sa sonde, ses yeux s'agrandirent. Elle lâcha la sonde, porta à ses lèvres un sifflet attaché autour de son cou et siffla trois fois.

« Éruption, hurla-t-elle ensuite dans toutes les directions, éruption ! »

Les dix membres du groupe se relevèrent d'un coup. Chacun ramassa le sac posé à ses pieds et le chargea sur son dos. D'un pas rapide et sûr, ils se mirent tous à descendre le flanc du volcan.

« Dépêche-toi, Charley, cria Djiz, c'est une violente ! Trois coups de sifflet, c'est une éruption de 7 ou plus. »

Charley attrapa Odilon, le cala sur son épaule et

prit son sac. Il avait tout juste trouvé de quoi gagner quelques crédits. Il n'avait pas la dextérité des autres et surtout leurs connaissances très précises de ce qui était bon à récupérer dans les ordures. Le container qu'ils étaient en train d'exploiter venait d'une planète où les appareils cassés n'étaient pas réparés. Il n'y avait que des déchets électroniques dans cette source. Charley avait découvert des composants. Il les avait identifiés comme étant des silipuces. Restait à savoir si elles seraient utilisables et si elles contenaient de l'or.

Le sol se mit à trembler de plus en plus fort. Charley tourna les yeux vers le cratère. Les fumées commençaient à contenir des scories. La lave allait jaillir d'un instant à l'autre. Lourde, dense, elle allait se répandre autour de la gueule du Natoubo et couler lentement le long des failles refroidies des éruptions précédentes.

« Vite ! » hurla Jani.

Charley se mit à courir. Ils ne craignaient pas d'être rattrapés par les coulées de lave qui ne descendaient jamais jusqu'au niveau où ils se trouvaient. Mais dans les retombées de cendres qui accompagnaient chaque colère du volcan, il y avait toujours des blocs en fusion qui roulaient sur les flancs du monstre.

« Saleté de planète, rugit Charley, en rejoignant Jani et Djiz qui fermaient la marche accélérée de la petite troupe, si tu parviens à éviter les konts, c'est le volcan qui te rattrape ! Un monde d'ordures et de cendres. J'espère que c'est tout ! Qu'il n'y a rien d'autre que je ne connais pas encore ! »

Le regard qu'échangèrent Jani et son père n'échappa pas à Charley. Le visage de Djiz s'était crispé et Jani se mordait soudain les lèvres. Que signifiait tout cela ? Y avait-il quelque chose qu'ils ne lui avaient pas encore dit à propos de Vulcain ?

La colère envahit Charley. Il s'arrêta, serrant les poings. On lui avait assez menti sur Terre, ça n'allait pas recommencer ici !

« Allez-y, crachez le morceau ! rugit-il. Qu'y a-t-il de plus sur cette planète paradisiaque dont on ne m'a pas encore parlé ? »

Mais ni Djiz ni Jani ne semblait vouloir répondre.

« Avance, Charley, bougonna Djiz, le Natoubo va entrer en éruption d'une minute à l'autre. Ce n'est pas le moment de traîner !

— Je veux savoir ! On m'a assez menti comme ça ! »

Il avait la gorge serrée, les larmes lui venaient presque aux yeux. Jani posa sa main sur son bras. Charley n'avait jamais dit pourquoi il avait fui la Terre pour atterrir un jour sur Vulcain. Mais ses parents et elle se doutaient que la blessure était profonde, essentielle, irrémédiable.

Une maladie, dit-elle très vite, les yeux baissés.

— Une maladie ? reprit Charley. Quel genre de maladie ?

— Une maladie de peau, une saleté qui ronge tout et tout le monde », bougonna Djiz.

Charley leva alors ses mains devant son visage et les tourna en tous sens.

« Mais je n'ai rien, et vous non plus, dit-il avec étonnement.

— Il n'y a pas assez longtemps que tu es là, murmura encore le père de Jani. Ça prend les nouveaux arrivants au bout d'un an. Nous autres les natifs, nous sommes immunisés plus longtemps. Mais on l'attrape quand même.

— Qu'est-ce que ça fait ? À quoi ça ressemble ce truc ? Comment... »

Un grondement terrible empêcha Charley de continuer. Le Natoubo explosait.

« Tu iras voir la vieille Chloé, cria Djiz en le poussant devant lui. Elle t'expliquera. Elle connaît tout sur la rouille. »

Charley n'eut pas le loisir d'en demander plus. Le trio se remit à courir le long du sentier de laves solidifiées. Jani précédait Charley et Djiz fermait la marche. Les sacs bourrés de matériaux récupérés ballottaient sur les dos. Les mains tenaient les poches fermées pour éviter de perdre les morceaux de métal récupérés sur les composants électroniques. *La rouille...,* pensa Charley, une maladie qui ronge... Pourtant il n'avait rien remarqué sur les gens qu'il avait côtoyés depuis quelques semaines. Mais peut-être n'avait-il pas su voir ?

Les Volcanos étaient des gens pudiques, leurs corps étaient enfouis sous des épaisseurs de vêtements. Le climat de la planète était assez rude. Les cendres faisaient souvent obstacle à la chaleur du soleil. Les hommes portaient caleçons et pantalons, les femmes avaient deux ou trois jupes superposées.

Charley se souvint des jolies jambes de Jani aperçues le premier jour quand elle avait sauté du container. Les jambes, les bras, le visage de son amie étaient intacts. Aucun doute, Jani n'était pas atteinte.

Il voyait danser devant lui son chapeau tandis qu'elle courait. Les pans de mousseline dont elle s'entourait souvent le visage flottaient derrière elle. Elle se retourna et lui tendit la main.

« Dépêche-toi, les cendres vont retomber d'ici un quart d'heure ! »

Charley prit la main tendue, et ils se mirent à courir côte à côte en direction d'Hidos.

Soudain il se sentit heureux.

Qu'importaient les ordures, les volcans et la rouille ! Ici il était libre. Il avait une amie, presque une famille... Hidos regorgeait de garçons et de filles de son âge qu'il apprendrait à connaître au fil du temps. Il en avait tant rêvé quand il était seul à l'Usine. Il n'allait pas se plaindre à présent !

« Tu sais, Jani, cria-t-il pour dominer le tumulte de l'éruption qui jetait maintenant vers le ciel ses scories incandescentes, même si Vulcain est plus proche de l'enfer que du paradis, je suis content d'être là... avec toi. »

Pour toute réponse, Jani lâcha sa main et rabattit prestement autour de son visage les pans de son chapeau.

Le voile des Volcanettes protégeait certes des cendres, mais il pouvait aussi cacher le rouge qui monte parfois aux joues des filles !

6

Mam Chloé

Le vent venait de la mer. L'océan était à des centaines de kilomètres, à l'ouest d'Hidos. Mais lorsque les vents venaient de cette direction, Hidos prenait des airs de fête. Le ciel de la vallée, orientée est-ouest, était lavé des fumées qui l'encombraient. L'air était frais, pur, et tout le monde sortait tête nue au vent de Treizembre.

Charley se faufila hors de la maison vers six heures du matin. Il avait entendu le vent tourner dans la nuit et il savait, en quittant sa paillasse, qu'il était inutile de prendre son chapeau. Ce matin, il respirerait à pleins poumons.

Odilon dormait encore, lové dans la chaleur de la

couverture. Charley hésita un instant à le réveiller. Puis il se dit que c'était l'occasion de pouvoir se promener en ville avec le charat sur l'épaule. Tôt le matin, les Hidosiens étaient affairés à partir vers les volcans. Personne ne remarquerait le petit animal niché au creux du cou de son maître. D'un geste caressant, Charley réveilla son compagnon.

Un quart d'heure plus tard, ils grimpaient tous deux le long des venelles qui conduisaient à Clairmont. Là-haut, dans une étroite maison en pierre volcanique, vivait la vieille Chloé. C'était la cinquième fois que Charley venait la voir. Lors de leur première rencontre, la vieille soigneuse lui avait dit : « Reviens quand tu veux. »

Il frappa doucement à la porte. Une voix pointue et énergique répondit :

« Entre et referme.

— Vous tutoyez tout le monde ? demanda Charley en se dirigeant vers la vieille femme assise dans un coin.

— Je vouvoie les Ords. Pas par respect. Par mépris.

— Et comment saviez-vous que ce n'était pas un Ord qui frappait ?

— Les Ords ne se promènent pas si tôt. Ils dorment, bien protégés dans leur bonne ville d'Epha.

— J'aimerais visiter Epha, dit Charley, en s'installant devant le fauteuil sur le repose-pieds.

— Pfff... Que sais-tu d'Epha pour avoir envie d'y aller ?

— C'est la capitale ord. Située sur une île au milieu de l'océan, elle est à l'abri des konts car les pilotes ne larguent pas les containers dans la mer. Ils ont obligation de larguer leurs ordures sur les continents. Cela afin que les Ords récupèrent, trient, recyclent ou jettent les déchets ultimes dans les gueules des volcans.

— Ouais..., ironisa la vieille femme. Ceci est la loi, officiellement. En réalité, les Ords exploitent les Volcanos et sont bien heureux qu'ils fouillent les ordures, trient les recyclables et compactent les déchets à leur place ! Les Ords ne s'occupent que de la partie noble du travail. Le commerce, avec leurs usines de retraitement, et la destruction, avec leurs vaisseaux-tracteurs qui précipitaient les ultimes dans les cheminées des volcans.

— N'empêche que j'aimerais bien voir Epha, s'entêta Charley, qui ne partageait pas les haines de ceux qui subissaient depuis toujours le joug ord. Il serait temps que je voie une vraie ville !

— Tu veux aller trop vite, dit la vieille femme en posant sa main sur les cheveux de Charley.

— Mais j'ai tellement de temps à rattraper, Mam Chloé ! »

La vieille femme se mit à rire. Elle aimait bien ce surnom affectueux que l'adolescent lui avait trouvé. Il s'était confié à elle. Pas beaucoup, mais assez pour qu'elle comprenne qu'il n'avait pas eu de famille, tout du moins pas de mère ni de père comme tout enfant humain. Chloé s'était attachée à lui sans savoir exactement en quoi Charley était différent.

La première fois qu'il était venu, il était entré, la hargne au cœur.

« Je veux tout savoir sur la rouille ! » avait-il déclaré d'un ton catégorique. Djiz l'avait conduit jusqu'à la porte et s'en était allé, laissant à la vieille soigneuse le soin d'une révélation en tête à tête.

Mam Chloé avait obligé Charley à s'asseoir, à manger des gâteaux de sarrafoin et à boire de la colamonade. Elle avait caressé les cheveux bruns de l'adolescent et l'avait apaisé. Plus tard, elle avait retiré lentement ses voiles de visage, remonté ses manches jusqu'aux coudes et soulevé ses jupes sur ses mollets. Le regard de Charley s'était figé devant les traces de la maladie. Elle avait vu le garçon porter son poing à sa bouche et marquer de ses dents sa peau blanche encore intacte.

« C'est la lèpre ? avait-il murmuré.

— C'est la rouille », avait-elle répondu.

Il avait ainsi fait connaissance avec ce fléau qui minait les Volcanos. Des traces foncées apparaissaient dans le derme profond. La peau était comme sillonnée de milliers de filaments. Les malades pouvaient ne rien ressentir pendant longtemps mais un jour des démangeaisons terribles les prenaient. Ils n'avaient d'autre solution que de s'abrutir de calmants ou de se gratter jusqu'au sang. On ne savait rien des vecteurs de la maladie. On ignorait comment elle se transmettait. Qui se souciait d'élucider les mystères d'un mal qui ne touchait que les oubliés de Vulcain ? Quand un Volcano faisait une crise on disait qu'il était « en accès ».

« On en meurt ? avait demandé Charley.

— On ne meurt pas de la rouille lente. C'est la plus courante, celle que j'ai. »

Mam Chloé avait refermé ses voiles sur son visage. Son souffle gonflait le tissu à l'emplacement de sa bouche. Seuls ses yeux brillants restaient visibles.

« On meurt de la rouille fulgure. Elle prend n'importe qui, à n'importe quel âge, comme la lente, mais celle-là tue en quelques mois.

— Pourquoi ? avait murmuré Charley.

— La pollution. Les gaz, les acides, tous les produits toxiques que tu touches chaque jour... Vulcain te tient ! »

Charley comprenait enfin le sens de cette expression si familière aux Volcanos. Ce n'était pas une formule d'accueil comme il l'avait longtemps pensé. C'était bien l'expression de la fatalité.

« Ce n'est pas gentil pour les Hidosiens, mon oisillon, de vouloir aller à Epha...

— J'aime Hidos, Mam Chloé. Je vis, je travaille ici depuis presque cinq mois. Je m'y plais de plus en plus grâce à Doria, Djiz, vous Mam Chloé et surtout Jani. Mais Epha c'est autre chose. On m'a dit qu'il y avait des immeubles, des bureaux, des lieux de rencontre, de vraies maisons...

— Et la police avec ses avis de recherche ! »

Charley se figea. La vieille femme se pencha vers le meuble près d'elle et ouvrit un tiroir. Elle en retira un mini disque laser qu'elle lui tendit.

« Glisse ça dans le lecteur qui est derrière toi. C'est l'enregistrement d'une émission de cosmovision. »

L'appareil lecteur grésilla quelques secondes puis l'image apparut sur l'écran, un peu floue, barrée de lignes rouges scintillantes.

« Passe-moi ma canne ! »

Charley s'exécuta. Mam Chloé assena un coup puissant sur l'engin. Miraculeusement, l'image devint nette.

« Les Trente Mondes ne jettent pas leurs appareils en très bon état ! Dommage », dit-elle en souriant.

Un présentateur apparut sur l'écran. Derrière lui s'étalaient en immenses caractères le logo et le titre de l'émission : *Tous les mondes pour un seul, un seul pour tous les mondes*. Charley avait vu cette émission à l'Usine lorsqu'on le laissait regarder la cosmovision. Sous prétexte d'entraide et de solidarité entre les Trente Mondes, l'émission fonctionnait en fait sur le principe de la délation.

« Notre émission de ce soir est consacrée à un animal, un animal unique, qui a disparu et que l'on recherche. Cet animal, le voici ! »

Et sous les yeux effarés de Charley se dessina soudain sur l'écran la silhouette mille fois reconnaissable d'Odilon !

« Odilon..., murmura-t-il, mais pourquoi...

— Pour te localiser, toi », dit doucement Mam Chloé.

Bien sûr ! En retrouvant Odilon, l'Usine savait pertinemment qu'elle avait toutes les chances de récupérer aussi Charley !

« Comment avez-vous eu ça ? D'où vient ce disque ?

— C'est un ami qui me fournit régulièrement en disques qu'il trouve dans les ordures ords. Car Epha nous envoie aussi ses déchets ! Ceci est un enregistrement qui date de quelques semaines. Je ne sais pas quand exactement. En regardant mon stock, la semaine dernière, je suis tombée par hasard là-dessus. J'ai tout de suite reconnu ta petite bête anormale.

— Odilon n'est pas anormal, s'écria Charley en

serrant son ami contre sa poitrine, ou bien s'il est anormal je le suis aussi.

— Je ne sais pas ce qu'ils t'ont fait, mon oisillon, je ne veux pas le savoir, ça n'a aucune importance. Cette planète est un cul-de-sac rempli de déchets, d'échecs et de désillusions. Hidos en est le plus bel exemple. Mais ici tu es à l'abri. Les Hidosiens ne sont pas des anges mais on peut leur faire confiance. Ils ne trahiront pas un des leurs. Je voulais juste t'avertir. Certains te cherchent sur les Trente Mondes, et il se pourrait que ces gens finissent un jour par penser à Vulcain. »

La vieille femme arrêta l'appareil. Charley était abasourdi. Au fur et à mesure des semaines, il s'était persuadé qu'on l'avait oublié, que l'Usine avait renoncé à le chercher. L'évidence du contraire venait de le frapper comme un coup à l'estomac.

Il quitta la maison de Chloé et entreprit de redescendre lentement vers les quartiers de la basse ville. Plongé dans ses pensées, il caressait machinalement Odilon niché au creux de son cou et de son épaule comme à son habitude. Il ne pensait même pas à le cacher. De toute façon il était sorti tête nue, sans cape ni sac pour sa promenade matinale. Une voix le fit soudain sursauter.

« Alors, Dech, on se promène de bonne heure ? »

En entendant ces mots, en reconnaissant cette voix, Charley eut comme première pensée que Mam

Chloé se trompait et qu'elle ne savait pas tout : il y avait des Ords qui quittaient la protection d'Epha, tôt le matin.

Si Mam Chloé se trompait pour ça, elle pouvait se tromper pour le reste aussi. Personne ne penserait peut-être à venir le chercher sur Vulcain.

« Tu as perdu ton culot ? »

Charley se retourna lentement. Adossé contre un mur, dans les premiers rayons du soleil, se tenait le jeune Ord auquel il avait parlé le jour de son arrivée à Hidos.

7

Morvan

« Donne-moi cet animal, Dech ! »

Le ton n'admettait aucune réplique. Charley sourit.

« Je ne connais toujours pas ton nom, dit-il, mais le mien n'est pas Dech, c'est Charley.

— Je me fous de ton nom, Dech, je veux cette bête. »

Il tendit la main vers Odilon, qui, avant même que Charley eût pu faire un geste, planta ses petites dents dans la main de l'agresseur. Celui-ci blêmit, recula, serrant sa main blessée. Comme la première fois que Charley l'avait rencontré, il était entièrement vêtu de bleu.

« Il n'est pas méchant, dit Charley très vite, pour excuser Odilon, il a seulement eu peur.

— Il m'a mordu.

— Toi aussi, tu m'as mordu. »

Le garçon ouvrit de grands yeux.

« Tu me traites de déchet alors que je t'ai dit mon nom, c'est une attaque.

— Je suis un Ord, dit le garçon en relevant le menton.

— Je sais, dit Charley, et moi je suis un Volcano. Mais il y a beaucoup de Volcanos, et un seul Charley. Il y a beaucoup d'Ords aussi. As-tu si peu de personnalité que ton nom n'a pas d'importance ? »

Le garçon eut un rire ironique.

« Tu as toujours ton culot... Je m'appelle Morvan, Dech, et articule mon nom correctement !

— J'ai entendu, dit Charley, je ne suis pas sourd : on prononce Morvan comme un "âne", et non Morvan comme "savant"... »

Le garçon bondit sur Charley. Mais d'une parade Charley détourna le coup et saisit le poignet de l'Ord. Ils comprirent tous deux en un éclair que Charley était beaucoup plus entraîné aux techniques de combat.

« Je connais les arts martiaux, dit-il. Tu veux vraiment qu'on se batte ? Ce ne sont pas des ennemis que je veux sur Vulcain, mais des amis.

— Ami ! cracha le garçon en libérant son poignet

d'un geste brusque, les Ords ne sont pas “amis” avec les Volcanos.

— Alors qu'est-ce que tu cherches ici ? Qu'est-ce que tu viens faire dans cette ville ? »

Comme l'Ord ne répondait pas, Charley s'avança tout près de lui et gronda dans son visage :

« Réponds ! Qu'est-ce que tu viens faire dans cette ville où les konts menacent de te tomber sur la tête, où la rouille pourrit tout le monde, où les hommes ne sont pour toi que des déchets parmi les ordures ? Tu viens visiter le zoo ? »

Le jeune Ord affronta Charley du regard pendant quelques secondes puis se détourna et fit quelques mètres dans la ruelle descendant vers la ville basse. Charley lui emboîta le pas. L'autre n'essaya pas d'accélérer, il marcha seulement d'un pas régulier, sans se retourner, jusqu'à une place entourée d'arbres, au milieu de laquelle coulait un jet d'eau. Les boutiques, tout autour, étaient encore fermées en raison de l'heure matinale. L'ensemble, comme toute la ville d'Hidos, était fait de bric et de broc. Mais le lieu avait du charme en raison des arbres et de la petite fontaine qui n'était rien d'autre qu'un essieu de char lunaire largué un jour sur la ville. Il était tombé près d'une source. Les Volcanos avaient tiré parti de la situation. Ils avaient capté l'eau pour la diriger vers l'épave et, depuis, elle giclait par les rayons en murmurant. Les Hidosiens avaient appelé l'endroit la place de l'essieu. On venait y remplir les bidons quand les citernes d'eau de pluie croupissaient.

Après s'être retourné pour constater que Charley l'avait bien suivi, l'Ord choisit un coin à l'écart, caché sous les branches basses d'un arbre. Il s'assit sur un bloc métallique et, les coudes sur les genoux, se plongea dans la contemplation du sol noir.

Charley resta debout en silence devant lui puis finalement s'installa à l'autre bout du banc improvisé et plaça Odilon entre eux. Prudent, le charat avança en direction de Morvan avec l'attitude caractéristique du rat qui explore un domaine inconnu. Après quelques instants, il était parvenu suffisamment près de Morvan pour poser ses pattes antérieures sur la cuisse du jeune Ord. L'animal leva son museau, flaira l'air autour de lui, et d'un bond lui sauta sur les genoux.

« Tu es adopté », dit Charley, avec un petit pincement au cœur. C'était la première fois qu'il voyait Odilon se comporter ainsi avec un étranger.

« Personne n'a d'animal de compagnie ici. Il est venu avec toi ?

— Tu n'avais jamais entendu parler de lui ? demanda Charley, repensant au vidéodisque visionné chez Chloé.

— Pourquoi ? J'aurais dû ?

— C'est un charat, dit Charley, un mélange de

chat et de rat, un exemplaire unique... comme moi », ajouta-t-il dans un souffle.

Morvan ne releva pas l'allusion. Il était tout à la joie de jouer avec Odilon qui grimpait sur son bras.

« Tu as de la chance, Charley », dit-il d'une voix soudain empreinte de gravité.

Lui ? C.H.A.R.L.Ey ? De la chance ? Il ne savait même pas ce qui avait été trafiqué dans son corps...

Mais bien sûr ce n'était pas à cela que pensait l'Ord. Le silence tomba à nouveau, seulement coupé par le clapotis de l'eau coulant des rayons de l'essieu. Le soleil brillait sur les feuilles des arbres, lavées de leur cendre par la pluie nocturne.

« Quel âge tu as ? s'enquit soudain le jeune Ord, se tournant vers Charley et lui souriant pour la première fois.

— On m'a dit que j'avais quinze ans juste avant que je quitte la Terre. Je suis ici depuis cinq mois vulcaniens.

— Ils ont vingt-six jours mais il y en a quatorze. On a donc le même âge. J'ai presque seize ans aussi. »

Puis après un court silence, Morvan reprit :

« Tu as une femme ? »

Charley fut décontenancé par la question.

« Une amie, tu veux dire ?

— Une amie, une belette, une blonde, une beauté, une femme quoi ! s'écria Morvan en éclatant de rire.

— Il y a Jani. »

Morvan souleva Odilon dans ses mains et glissa d'un coup sur le banc près de Charley.

« Raconte ! dit-il en lui donnant une bourrade dans les côtes. Après je te parlerai de Shahinez ! »

*
* *

Les deux garçons se quittèrent une heure plus tard. Charley était content de la tournure qu'avaient prise les événements. Un jour, Morvan deviendrait peut-être son ami. L'Ord était bavard. Il avait expliqué qui il était et pourquoi il se promenait régulièrement à Hidos.

Fils de Maatchi Cadfar, l'un des sept membres du conseil ord de Vulcain, il accompagnait son père une ou deux fois par mois lorsque ce dernier venait au pied du Natoubo pour négocier le rachat des produits récupérés par les Hidosiens. Maatchi Cadfar voulait que ses fils connaissent tous les rouages du fonctionnement de Vulcain. Il avait agi avec son aîné, Edyn, comme il le faisait avec Morvan. Pendant les deux ou trois heures que duraient les négociations avec les Volcanos, il « lâchait » ses fils dans la ville. À eux de s'y débrouiller, d'y faire connaissance avec ce peuple de leur planète qu'ils auraient à côtoyer plus tard.

« Mon frère a choisi d'être pilote de vaisseau-benne. Edyn est l'un des meilleurs. »

Ce métier était le plus prestigieux de tous et aussi le plus dangereux. Les vaisseaux-bennes larguaient les déchets ultimes dans les cheminées des volcans. Tout le monde respectait ceux qui osaient défier les gueules des monstres de Vulcain. Les vaisseaux-bennes passaient à l'aplomb des cratères et larguaient entre deux éruptions. Mais comme celles-ci étaient imprévisibles...

Morvan était fier de son frère, de sa famille, de sa condition d'Ord. Il était sans doute trop conscient d'appartenir à la caste supérieure. Mais il avait quitté son arrogance méprisante pour parler avec Charley. Le courage calme du Terrien l'avait à coup sûr impressionné.

« Tu es différent des autres, avait-il dit en posant sa main sur le bras de Charley, qui es-tu ? »

Regardant cette main sur son bras, la même qui avait effacé d'un geste méprisant son contact le premier jour, Charley prit un malin plaisir à répondre :

« Je suis un Vide-ordures, Morvan.

— C'est faux. Tu mens mal, Charley Volcano ! Tu n'es pas venu comme les Vide-ordures. Tu n'as pas acheté ton passage sur un vaisseau qui t'a débarqué ici. Tu t'es enfui de quelque part ! Comment as-tu atterri sur Vulcain ? »

Devant le silence de Charley, l'Ord fronça les sourcils. Il poursuivit :

« Dans un kont... »

Ce n'était pas une question. Charley eut peur soudain. Qu'avait deviné l'Ord ? Maintenant qu'il avait vu Odilon, n'allait-il pas le trahir ? N'était-ce pas son devoir ?

« Je n'ai pas de devoirs, je n'ai que des droits ! ricana Morvan lorsque Charley lui posa la question de confiance. Rassure-toi, je ne dirai rien si tu sais te taire. »

Morvan faisait allusion à Shahinez, la jolie et douce Volcanette qu'il aimait. Elle vivait à Epha. Fille de servante, servante elle-même, elle évoluait dans l'ombre de la grande ville ord. Mais avec grâce et charme. Morvan avait croisé son chemin et depuis plusieurs semaines ils étaient amoureux. Tout les opposait.

« Rien ne nous séparera ! » affirmait Morvan avec l'énergie du désespoir.

Charley garderait le secret sur cet amour à la Roméo et Juliette. Morvan, pour l'instant, ne parlerait pas de ce drôle de type ni de sa bestiole bizarre. Ils ne s'étaient pas serré la main en se quittant. Pas encore.

Ils s'étaient seulement donné rendez-vous quinze jours plus tard sur la place de l'essieu.

8

Le Natoubo

Lorsqu'il rentra à la maison vers la huitième heure, Charley trouva Jani et Doria affolées. Djiz n'était pas revenu de la nuit. Tout le monde s'était endormi la veille au soir sans s'inquiéter. Le maître de maison devait rentrer tard. Il avait décidé de partir seul fouiller les sources de la gueule du Natoubo.

Aller plus haut, toujours plus haut, au mépris de toute prudence, telle était devenue la loi... Les Volcanos savaient que les gaz, les nuées ardentes ou les projections de lave les guettaient lorsqu'ils se rapprochaient trop des cratères. La plupart du temps, ils restaient à flanc de volcans. Mais lorsque le manque d'argent se faisait sentir, il n'y avait d'autre ressource que de grimper fouiller les konts écrasés très haut, dans les zones brûlantes. On le faisait à ses risques et périls. Personne n'allait jamais chercher les disparus. Il n'y avait pas de sauveteurs parmi les nettoyeurs.

Djiz devait, de toute nécessité, trouver des produits rares. Il avait besoin d'argent, de plus en plus d'argent, surtout depuis que ses parents étaient trop âgés pour aller récupérer. Les vieilles personnes étaient cantonnées dans des travaux d'empaquetage des produits recyclables dans les usines des vallées. Le père et la mère de Djiz étaient désormais à sa charge.

Et puis il y avait Charley. Une bouche de plus à nourrir, parce que Jani l'avait demandé, parce que Jani était toute la vie de son père.

« J'y vais, dit Charley.

— Tu vas où ? hurla Jani.

— Le chercher. Je le trouverai et je le ramènerai.

— Tu n'y arriveras jamais, gémit-elle. Il voulait monter haut, très haut. Les gaz sont terribles à cette hauteur-là.

— Je passerai ! répondit Charley avec détermination. Donne-moi de l'eau, ta sonde et un paracendre. Je te confie Odilon. »

Il posa le charat sur l'épaule de son amie, prit quelques objets qu'il jeta dans son sac à dos et tourna les talons.

Djiz était parti vers le sud. Doria avait dit qu'il comptait atteindre plus de trois mille mètres. Le cône culminant du Natoubo était à quatre mille. Les nettoyeurs, dans la grande majorité des cas, travaillaient entre mille et deux mille mètres. Charley n'était jamais monté aussi haut.

Il était midi lorsqu'il atteignit la limite de la zone des sentiers. À partir de là, il allait devoir grimper à vue. Il n'y avait plus de cartes des chemins répertoriés. Entre la vallée et mille mètres s'étendaient les jardins. Les familles hidosiennes installées là défendaient âprement leurs parcelles de terre. Les sols volcaniques sont riches et tous les fruits et légumes y poussent vite et bien. Auprès de ces jardiniers, les nettoyeurs se procuraient la plupart des produits de leur alimentation.

Plusieurs konts, écrasés depuis peu et déjà fouillés, faisaient obstacle et obligèrent Charley à se détourner vers le nord sur plusieurs centaines de mètres. Au-dessus de lui, le lointain ballet des vaisseaux-collecteurs ne cessait de tourner et, à intervalles réguliers, des containers striaient le ciel avant de s'écraser quelque part sur la chaîne du Natoubo. Depuis la vallée, des guetteurs suivaient leur trajectoire, notaient les points d'impact pour ensuite envoyer des groupes fouiller, trier, récupérer.

La marche était difficile dans les cendres et les amas rocheux. Tard dans l'après-midi, Charley attei-

gnit l'altitude à laquelle les gaz se faisaient de plus en plus sentir. Mais si l'odeur l'incommodait, à sa grande surprise, il n'éprouvait aucune gêne à respirer. Il planta à plusieurs reprises la sonde de Jani dans le sol meuble. Mordant à pleines dents la tige métallique, il constata que, pour l'instant, le volcan était calme. La bouche de Charley n'avait sans doute pas la sensibilité des dents de son amie Volcanette mais il aurait senti une éruption imminente.

Il continua son ascension jusqu'à un piton rocheux qui faisait un bon poste d'observation. Perché sur cette plate-forme, il scruta les alentours avec une longue-vue qu'il avait emportée. Il aperçut à l'ouest, à environ un kilomètre, un groupe de Volcanos. Si Djiz avait été de ce côté, ils l'auraient secouru. Charley décida donc de continuer à grimper vers le sud-est. Au moment où il allait ranger la longue-vue, des ombres dans le ciel au-dessus du groupe lui firent lever les yeux.

« Konts ! » hurla-t-il instinctivement.

Mais les nettoyeurs étaient trop loin. Le vent de Treizembre emporta les avertissements de Charley. Les containers tombaient comme des bombes. Charley vit les petites silhouettes partir dans toutes les directions, comme des fourmis fuyant le pied de géant qui allait s'abattre sur le sol. L'un après l'autre les containers s'écrasèrent sur le flanc du volcan, creusant d'énormes cratères dans la cendre à peine refroidie, explosant sur les arêtes rocheuses, faisant gicler des gerbes de gravats, anéantissant les Volcanos. Un nuage de cendre s'éleva autour de la zone d'impact. Charley regarda à nouveau dans la longue-vue, scrutant à travers le rideau sombre une trace quelconque de survivants. Mais il ne put localiser aucun mouvement. Il laissa retomber son bras, atterré. Tout un groupe décimé ! Les larmes perlèrent à ses yeux. Inutile de se rendre sur les lieux. Il n'y avait plus rien à faire. Chaque jour on racontait à Hidos de semblables coups du sort. Ce largage meurtrier ne ferait que grossir le nombre des victimes de Vulcain, si vite remplacées par d'autres Vide-ordures.

La mort au bout du voyage.

Djiz ! Il ne serait pas dit que lui périrait aussi. Charley, la rage au cœur, reprit sa marche comme un somnambule.

À l'heure où le soleil commençait à décliner vers l'océan qui entourait Epha, il s'arrêta un instant pour regarder derrière lui. L'étoile double allait disparaître en l'espace de deux petites heures. La bleue d'abord puis sa jumelle rouge. Charley eut une pensée pour Morvan. L'Ord pouvait-il imaginer, bien à l'abri dans sa ville, que Charley pataugeait depuis bientôt sept heures dans la cendre, slalomant entre les konts écrasés, risquant à tout instant d'en prendre un sur la tête ?

Un reflet du couchant sur quelque chose de brillant attira soudain l'attention de Charley alors qu'il allait se remettre à grimper. Il accommoda sa vision et distingua un petit dôme au milieu des rochers. Un paracendre...

Charley pressa le pas. Djiz s'abritait peut-être là-bas sous sa protection métallique. Le dôme d'un paracendre était d'un mètre cinquante de diamètre. On pouvait s'y tenir assis, à l'abri d'une pluie de cendre imprévue, ou en cas de blessure en attendant d'hypothétiques secours.

Quand il fut à quelques mètres de l'abri, Charley cria :

« Djiz, c'est toi ? »

Une main apparut par l'étroite ouverture, paume ouverte.

D'un coup sec, Charley ouvrit le dôme. Le père de Jani gisait, recroquevillé sur lui-même. Des traces de sang séché tachaient le tapis de sol du paracendre. D'un coup d'œil, Charley évalua la blessure. Fracture ouverte de la jambe.

« J'ai glissé, haleta Djiz, à quelques mètres d'ici. J'ai cru que je n'arriverais jamais à monter le paracendre. Enfin te voilà. Merci, Charley. Je savais qu'un jour ta résistance nous serait utile... »

Ayant jeté ses dernières forces dans ces quelques paroles, Djiz se laissa retomber et ferma les yeux. Ses lèvres étaient violettes, son teint terreux. Il était en train de suffoquer. Les odeurs de gaz étaient à la limite du supportable. Mais Charley respirait aussi facilement que s'il avait été dans une prairie au printemps.

Une pensée s'imposa soudain à lui. *Amélioré pour résister dans des lieux extraterrestres...* Ses poumons étaient adaptés pour résister aux gaz toxiques au-delà de l'imaginable !

Soudain Djiz eut un spasme violent dans les bras de Charley. Une syncope ! Charley allongea le père de Jani et entreprit de lui faire un massage cardiaque. Les techniques de survie enseignées par les ingénieurs de l'Usine lui permirent de réussir.

Djiz reprit conscience, Charley confectionna alors un brancard de fortune avec les deux paracendres à demi repliés. Croulant sous le poids de l'adulte, il parvint enfin à l'installer sur le brancard. Il s'attela à l'avant et entreprit la descente.

Petite silhouette de portefaix, il peina de ravines en coulées, tirant son précieux chargement jusqu'à s'en meurtrir le dos. Mais à aucun moment le souffle ne lui manqua. Lorsqu'il parvint à une altitude où l'air était plus respirable, il laissa Djiz à l'abri d'un paracendre et descendit en courant à la recherche d'un groupe de nettoyeurs. Le rapatriement de Djiz se fit sans problèmes. Lorsqu'ils furent en vue d'Hidos, Charley se sentit rassuré. Il se laissa enfin aller à un moment de détente lorsque Djiz fut installé dans sa maison, sa femme et sa fille à ses côtés près du soigneur.

Devant l'ensemble de containers qui constituait la maison de Djiz, il y avait un petit banc de plastique blanc rafistolé. Charley s'y assit, Odilon sur ses genoux. Il caressa le charat qui se mit à ronronner.

« Petit frère, aujourd'hui j'ai appris quelque chose sur moi. *Amélioré...* ça peut signifier quelque chose de positif. Mes poumons sont différents. Devant ma matrice de plasverre, Jim et Clara ne se doutaient certainement pas qu'un jour ils me permettraient de sauver Djiz. Qui sait, je vais peut-être avoir d'autres bonnes surprises... »

9

Djiz

« Comment va la patte folle ce matin ? »

Lyell, voisin de Djiz, revenait de la zone des jardins avec deux gros paniers de légumes frais. Il en posa un devant le banc où Djiz, la jambe allongée, prenait un peu l'air.

« Aussi bien que possible, répondit-il en tapotant son attelle. Le soigneur dit que je vais bientôt pouvoir poser les *deux* pieds dans nos bonnes ordures !

— Vulcain te tient, Djiz ! Tant mieux. Voici les légumes commandés par Doria, ajouta Lyell en désignant le panier. Et Charley, il te rapporte toujours des merveilles ? Il est incroyable. Personne n'y comprend rien.

— Même pas lui... Il est résistant, c'est tout.

— Il est en béton, tu veux dire ! Monter à trois mille tous les jours... Jamais vu ça de mémoire de Volcano ! Je lui ai parlé hier. Il n'a pas peur. Courageux ce gamin, Djiz. Et généreux. Je lui ai dit que la famille de Léman manquait un peu depuis que le père est en accès...

— Quelle crasse cette rouille ! grommela Djiz, mon père souffre souvent, Doria, ma mère et moi n'avons que des plaques de rouille lente. Tu dis que Léman est en accès ?

— Charley est allé le voir, poursuivit Lyell. La grand-mère m'a dit ce matin qu'il leur avait donné de quoi survivre une semaine. C'est un bon gamin que tu as recueilli là, Djiz. On l'aime bien ici. Tu vas le garder comme gendre ?

— Hé, pas si vite ! Ma Jani est une petite fille.

— Il n'y a plus que toi qui la vois comme ça. C'est une jolie fille ta princesse et ton Charley n'est pas aveugle, dit Lyell en riant. Fais-toi une raison, Djiz. Elle pourrait tomber plus mal, ta fille ! Je te laisse, amigo. Bonjour chez toi. »

Djiz eut un petit sourire, salua de la main puis regarda son voisin s'éloigner. Il s'absorba dans ses pensées. C'était pourtant vrai qu'il était bientôt en âge d'être beau-père ! Et peut-être grand-père... Lui qui n'avait été père qu'une fois ! Peut-être à cause de toute cette pollution qui les entourait, certains Volcanos devenaient vite stériles.

C'était son grand regret. Djiz aurait aimé avoir d'autres enfants. Les enfants étaient l'avenir de Vulcain, et l'assurance vieillesse des aînés.

Justement, un groupe de gamins déboucha soudain au coin de la ruelle. Aucun d'eux ne dépassait douze ans. Dès qu'ils étaient en âge de travailler, les jeunes étaient aux usines de polytraitement ou à gratter les ordures aux flancs des volcans. Seules les vieilles personnes, incapables de fouiller, et les petits enfants passaient leurs journées à Hidos. Les mômes connaissaient bien Djiz qui faisait partie des rares adultes acceptant de leur consacrer un peu de temps. Ils s'approchèrent de lui.

« Tu vas bientôt marcher, Djiz... Tu continueras à nous apprendre à trier ? » demanda un petit garçon dont les yeux pétillaient de malice.

Autour de lui, filles et garçons offraient de superbes visages aux yeux légèrement bridés, à la peau mate, aux cheveux soyeux. Ces enfants étaient le pur produit du mélange de races effectué sur Vulcain, véritable creuset où tous se fondaient.

« Bien sûr, Laki ! répondit Djiz en ébouriffant les cheveux du gamin. Je vous accompagne bientôt à nouveau sur le Natoubo. Tu n'as pas oublié mes leçons ?

— Oh non ! s'écria le gamin. Les konts donnent

les sources. Dans les sources il y a trois catégories : les biodégradables, les recyclables, les ultimes. On laisse les bios, on trie les recycls pour les usines de polytraitement et on compacte les ultimes pour que les Ords les brûlent dans les volcans.

— Bien, Laki, tu feras un bon nettoyeur. Allez, filez maintenant ! »

Les enfants lui souhaitèrent une bonne journée et s'éloignèrent en lui adressant des signes de la main.

Dire qu'il y avait si peu de temps, Jani était comme eux, haute comme trois pommelles. À propos de pommelles...

Djiz se pencha vers le panier et en examina le contenu. Oui, il y avait des fruits. Hyell avait choisi les plus belles pommelles du jardinier. Doria avait bien fait d'en commander. C'était cher, mais voilà qui ferait du bien à Jani. Elle semblait si fatiguée depuis quelque temps. Il était vrai que, depuis cet accident idiot, Charley et elle mettaient les bouchées doubles. Chaque jour elle l'attendait à la limite des sentiers tout en fouillant. Lui ne redescendait pas tant qu'il n'avait pas rempli deux ou trois sacs. Tous ces konts inaccessibles... Peut-être Jani montait-elle trop haut ? Djiz frissonna.

Le soleil était loin au-dessus de la couche de nuages sombres. Les fumées du Natoubo redoublaient d'intensité depuis quelques jours. On respirait mal. La princesse allait souffrir en attendant

Charley là-bas, sur le volcan... Tandis que lui, l'incroyable, il respirait cette purée de pois comme de l'air marin... Et il n'y avait pas que cela. Trois semaines plus tôt, alors qu'on fêtait le premier jour de Troisier, Doria avait trébuché en apportant sur la table la soupière remplie de bouillon gras brûlant. La moitié du liquide avait giclé sur le dos de Charley. Il avait poussé un cri sous la douleur. Horrifiée, Jani s'était précipitée près de lui. Djiz, immobilisé dans son fauteuil, avait hurlé :

« Retire-lui sa chemise ! »

La peau était apparue rouge, gonflée. Mais un quart d'heure plus tard, lorsque le soigneur était arrivé, le dos de Charley avait presque repris une apparence normale.

« Ce n'est rien, disait-il, vous avez cru que j'étais brûlé, mais ce n'était pas si chaud que ça... »

Le regard du soigneur était allé, incrédule, du dos rosâtre et lisse de Charley, à la soupière encore fumante sur la table.

Djiz avait minimisé l'épisode, disant que Charley avait raison, qu'un Volcano était capable de résister au feu des volcans... Alors, vous pensez, une pauvre soupe...

Mais, en son for intérieur, il n'en pensait pas moins. Les extraordinaires capacités de Charley lui faisaient presque peur. D'où venait-il, ce garçon étrange, dont le front s'assombrissait parfois de souvenirs qui n'appartenaient qu'à lui ?

« Je suis un vrai fils de Vulcain, disait-il en riant. Je tutoie les volcans. »

10

La rouille

« Alors, mon gros père, tu n'as plus rien à me donner ? »

Le rebord du cratère du Natoubo était à quelques centaines de mètres de Charley. Depuis une heure, il se promenait le long de la crête, fouillant dans les konts écrasés sur le pourtour du monstre. La chaleur, les fumées, rien ne le gênait. Depuis qu'il avait découvert par hasard les capacités de son corps lors de l'accident de Djiz, puis de l'épisode du « lancer de soupe », il les utilisait au maximum. Puisque des généticiens l'avaient fabriqué « Résistant », autant qu'il en profite ! Chaque jour il rapportait dans sa besace une petite fortune en métaux rares. Grâce à lui, la famille de Jani serait à l'abri du besoin pour longtemps. Il avait su faire taire les jaloux – et les curieux –, en distribuant judicieusement aux uns ou aux autres des objets de valeur récupérés dans ces sources inaccessibles aux autres. Mam Chloé était trop optimiste quand elle disait que tous les Volcanos étaient dignes de confiance. Les temps changeaient et l'on entendait parler à Hidos de « collabos » n'hésitant pas à vendre n'importe qui aux Ords. Charley avait appris l'opportunisme.

Tous ceux qui le connaissaient à Hidos s'étonnaient de ses stupéfiantes possibilités mais l'idée n'effleurait personne qu'il puisse être un prototype génétique échappé de son laboratoire !

À la faveur d'une éclaircie, il aperçut l'horizon vers l'ouest. Epha. La semaine prochaine, il avait rendez-vous avec Morvan. Il en était heureux. Son ami lui manquait. Depuis leur première rencontre, ils ne s'étaient revus que quatre fois. Cela faisait déjà trois mois que Djiz était immobilisé. L'hiver s'achevait. Que raconterait ce diable de Morvan cette fois ? Allait-il encore proposer d'acheter Odilon ? Morvan Cadfar avait bien du mal à comprendre qu'il y a des choses qui ne s'achètent pas.

« Un Ord reste toujours un Ord, oisillon », dirait Mam Chloé. L'image de la vieille soigneuse figée devant ses vidéos le fit sourire. Il irait la voir avant d'aller retrouver Morvan à la place de l'essieu. Pour l'instant, il était temps de redescendre. Jani devait s'impatienter.

Quand il parvint dans la zone où devait fouiller son amie, il tira un sifflet de sa bouche et modula un son continu.

« Aussi perspicace qu'au premier jour, moineau ! »

Charley fit volte-face. Jani était dans son dos, émergeant d'un kont bourré de sacs plastique. L'odeur qui s'en dégageait était âcre et forte. Des rats grouillaient autour des sacs. Jani en repoussa un du pied sans ménagement. Un nuage de mouches bleues s'en échappa. Charley fit la grimace.

« Tu te parfumes aux ordures ménagères maintenant ?

— Je cherche là où je peux, moi, môssieu ! Je ne suis pas comme toi, moineau, je ne suis pas à tu et à toi avec le Natoubo.

— Jalouse ?

— De qui ? D'un volcan ?

— De mes succès ? »

Jani haussa les épaules, passa devant lui, dégageant d'un geste impérial les voiles qui entouraient son visage, et amorça sa descente.

« Hé, attends-moi ! cria Charley en la rattrapant. Je ne voulais pas te faire de peine. »

Il tenta de discuter mais elle s'obstina dans son

mutisme, avançant d'un pas mécanique. Le silence n'était interrompu que par le cri des mouettes, nombreuses en ce lieu à fouiller les sacs pour se nourrir.

Charley ne comprenait pas ce qui se passait.

Depuis quelque temps, les réactions de Jani étaient totalement imprévisibles. Comme si elle se forçait à être agressive.

« Que faut-il dire pour te persuader que je suis ton ami ? »

Elle se retourna d'un coup et tendit un doigt vindicatif dans sa direction.

« Tu as un problème, Charley ! Tu ne veux jamais faire de peine à personne, tu veux plaire à tout prix, tu fais tout ce qu'il faut pour qu'on t'aime, et tu y arrives très bien. Mais moi, je ne suis pas dupe !

— Tu ne m'aimes pas ?

— Oh, arrête ! Tu sais très bien ce que je veux dire. Avoue que tu es très content de pouvoir grimper là-haut...

— Bien sûr. Ça permet de faire vivre ta famille, non ?

— D'accord. Mais ça flatte ta petite personne. Tu es ravi d'être “unique”. Tu le dis assez souvent ! Ce n'est pas vrai ? Je mens, peut-être... Ose me dire que tu n'es pas bouffi d'orgueil en redescendant avec tes sacs chargés de recycls que les autres ne peuvent pas atteindre... »

Charley se figea. Il resta les bras ballants, se

demandant ce qu'il devait comprendre, tandis que Jani reprenait sa descente. Mais que lui arrivait-il ? Jamais elle n'avait été aussi dure avec lui. Était-il vraiment aussi odieux qu'elle le disait ? Non. Il faisait son travail. Peut-être était-elle vraiment jalouse. Elle, la Volcanette, était le centre de son petit monde jusqu'à ce que lui, Charley, vienne tout bouleverser.

Il la rattrapa.

« Excuse-moi, Jani, si j'ai fait ou dit quelque chose qui t'a blessée. Je te promets d'être le plus normal possible. »

Elle s'immobilisa, ferma les yeux et prit une profonde inspiration.

« Mon pauvre Charley, tu ne seras jamais normal », cracha-t-elle avec le plus de mépris possible.

Le coup porta au-delà de toute espérance.

Elle se retourna lentement. Le visage de Charley était ravagé par la peine, l'angoisse et la rage mêlées. Elle sentit son cœur se broyer dans sa poitrine et fut tentée d'avoir pitié de lui. Mais non, il fallait y aller. C'était maintenant ou pas du tout.

« Tu respires à pleins poumons dans le méthane, dit-elle, tu nages la brasse coulée dans l'eau bouillante, tu n'es jamais fatigué, tu n'es jamais malade, tout le monde est envoûté par toi, même mes parents... et tu voudrais que je te trouve normal ? »

Elle vit les lèvres de Charley trembler. D'un geste

nerveux, il passa la main sur le bas de son visage, prenant quelques secondes pour se ressaisir. Quand il la regarda à nouveau, son regard était glacé.

« Très bien, murmura-t-il. Merci de m'avoir dit franchement ce que tu penses de moi. Ne t'inquiète pas. Je continue à aider ta famille jusqu'à ce que ton père aille mieux. Et puis je m'éloignerai. J'ai compris. »

Sa voix se cassait à chaque mot. Il déglutissait de temps à autre avec difficulté. Comme Jani restait immobile, les yeux baissés, il la contourna et poursuivit lentement sa marche.

Elle ne releva les yeux que lorsqu'elle n'entendit plus ses pas. Elle le regarda alors s'éloigner, le dos voûté autant par la peine maintenant que par la charge des sacs.

Jani sentit ses yeux s'emplir de larmes.

« Non, imbécile, murmura-t-elle pour elle, tu n'as rien compris... Si tu savais... »

Un sanglot l'étouffa.

« Si tu savais comme je t'aime... »

Et tandis que Charley, sans se retourner, devenait un petit point en contrebas, Jani se laissa glisser sur les cailloux du sentier. Elle martela le sol de ses bras, griffant sur les rochers sa peau brune où étaient apparues quelques jours plus tôt les premières taches de rouille fulgure.

Elle retint un hurlement, enfouissant son visage dans ses bras.

Le premier pas était fait.

Mais ce n'était peut-être pas le plus dur.

Quand Charley serait parti, il lui faudrait montrer sa peau à son père.

Désert

La place de Tes[illegible] était [illegible] de gens. Les [illegible]
[illegible] qui tenaient le bord de l'endroit était [illegible]
[illegible] pour de rôder [illegible] elles avec l'[illegible]
[illegible] de [illegible]. [illegible] était beaucoup plus
[illegible] que [illegible] dans [illegible]
[illegible] aurait [illegible] arbre qui [illegible]
[illegible] apparaître. Le [illegible] à la [illegible]
[illegible] de [illegible] lugubre [illegible]
[illegible] l'été [illegible]
[illegible] dans lequel il se trouvait. Seul [illegible], dont
le [illegible] se [illegible] contre sa main au [illegible]
[illegible] parvenait encore à [illegible] un [illegible]
« [illegible] maintenant », dit Mam[illegible].

11

Départ

La place de l'essieu était gorgée de pluie. La terre battue qui formait le sol de l'endroit était détrempée au point de coller aux semelles avec d'écœurants bruits de succion. Troisier était beaucoup plus humide que prévu. Emmitouflé dans un ciré marron, Charley attendait sous un arbre que Morvan se décide à apparaître. Le ciel était à la mesure des sentiments de Charley. Sinistre, lugubre, sombre... Aucun adjectif ne pouvait décrire l'état de découragement dans lequel il se trouvait. Seul Odilon, dont le museau se frottait contre sa main au fond de sa poche, parvenait encore à lui tirer un demi-sourire.

« Tu es malheureux », avait dit Mam Chloé.

Difficile de faire l'apprentissage de la souffrance. Il avait pourtant cru toucher le fond en découvrant à l'Usine qu'il était un cobaye. Mais maintenant qu'il était rejeté par Jani, ce qu'il avait éprouvé alors lui semblait caprice d'enfant.

« On grandit par paliers. En ce qui te concerne, les marches sont près les unes des autres. »

Mam Chloé l'avait écouté avec patience, comme à son ordinaire. Puis elle lui avait assené quelques-unes de ses sentences de vieille sage. Mais Charley se sentait si loin de la sérénité de la vieillesse.

« Je croyais que Jani était mon amie, Mam Chloé. Elle m'a dit des choses cruelles. Je n'aurai jamais plus confiance en une fille ! »

La vieille dame avait eu un petit rire moqueur.

« J'en ai connu beaucoup qui ont dit ça avant toi ! On en reparlera. En attendant, déshabille-toi. »

L'injonction avait surpris Charley, mais il s'était exécuté. D'un œil perçant, la vieille soigneuse avait examiné son torse, son dos et ses membres.

« Rien, il n'a toujours rien, le bougre, marmonnait-elle entre ce qui lui restait de dents. Pas étonnant que tu lui fasses peur à ta petite Jani !

— Que voulez-vous dire ?

— Elle a raison. Tu n'es pas comme les autres.

— Ah non, pas vous, Mam Chloé !

— Eh bien ! si. Je le dis. Ta peau résiste. Tu n'as aucun point de rouille. Pas la moindre petite tête d'épingle. Et je n'ai jamais vu ça. Au bout de six mois, tout le monde est atteint. De toutes petites taches, qui ne grandiront peut-être jamais. Mais tout le monde en a.

— Cherchez bien, j'en ai peut-être...

— Rhabille-toi, Charley. Tu es là depuis dix mois et la rouille ne t'atteint pas. Il faut t'y faire. Tu as de la chance. »

Non. Une peau « améliorée », songea Charley en remettant ses vêtements. La vieille Chloé continuait :

« Possible que Jani soit jalouse. Elle n'est pas jalouse de ce que tu rapportes des konts. Elle est jalouse de ce que tu es. Toutes les filles de ce monde dépriment lorsqu'elles comprennent que leur beauté est condamnée par Vulcain. Elles se consolent en pensant que les garçons aussi seront touchés. Mais toi...

— Un jour je serai comme les autres, c'est une question de temps.

— C'est faux. Et tu le sais. »

Charley avait quitté la vieille femme encore plus triste qu'en arrivant. Chloé avait raison. Il ne pouvait pas changer de peau. Les êtres humains peuvent changer de tout : de nationalité, de nom, de parents, d'enfants, mais pas de peau.

Il en était à ce point de ses pensées lorsqu'une silhouette déboucha au pas de charge d'une des ruelles. Lui aussi enveloppé dans un imperméable, mais bleu, comme il était d'usage chez les Ords, Morvan arrivait essoufflé après une course à travers Hidos. Comme toujours il était sans doute venu dans un aéroglisseur stationné en altitude à l'extérieur de la ville pour ne pas être pris d'assaut par des Hidosiens. Certains auraient osé s'en prendre au véhicule alors qu'aucun n'osait s'attaquer aux Ords en personne à cause des satellites-tueurs.

Morvan se planta devant le banc et s'ébroua en riant. En entendant sa voix, Odilon pointa son nez hors de la poche de Charley. Morvan lui fit une petite gratouille sur le museau avant de donner une tape amicale sur l'épaule de Charley.

« Vulcain vous garde vous deux ! C'est gentil de m'avoir attendu. J'ai cru que je ne pourrais pas venir. Mon père a eu un empêchement de dernière minute. C'est mon frère Edyn qui le remplace aujourd'hui pour les achats de recycls. On est arrivés en retard. J'avais peur que tu ne sois reparti. »

Charley sourit. Qu'il semblait loin le temps où Morvan, ligoté de préjugés, le traitait de Dech !

« Ce n'est pas par gentillesse que je t'ai attendu, Morvan, dit Charley, c'est par intérêt. »

Morvan fronça les sourcils. Dès le premier regard, il avait remarqué les traits creusés de son ami, ses poings crispés.

« Alors tu sais..., dit-il, d'une voix étouffée.

— Je sais quoi ?

— Qu'un avis de recherche est lancé contre toi par une entreprise interplanétaire. »

Charley se pétrifia.

« Rassure-toi, poursuivit immédiatement Morvan, je n'ai rien dit à personne. Mais il y a dix jours un message hologramme te représentant est arrivé pour mon père. Tu penses si je t'ai reconnu, Charley Volcano ! J'étais tout seul au bureau en train de travailler. Mon père et mon frère étaient absents. J'ai réceptionné le message. Mon père ne le sait pas, mais je connais son code. Sur Terre, ils sont persuadés que c'est lui qui était en ligne. Pour l'instant il n'y a que moi au courant.

— Et qu'... qu'est-ce qu'il disait, ce message ? bégaya Charley.

— Que tu t'es enfui avec des informations secrètes. »

Charley ouvrit la bouche de surprise avant d'éclater d'un rire amer. Ça, c'était le bouquet ! Il ne savait même pas ce qui avait été trafiqué dans son corps, il avait découvert par hasard qu'il avait une peau et des poumons différents, il ne savait RIEN sur lui-même, et voilà que ceux de l'Usine l'accusaient de détenir des informations secrètes ! Mais c'était lui le secret ! Il était un secret ambulant, un secret lâché en pleine campagne. Et quelle campagne ! Un paradis...

Malgré tout, que Vulcain me tienne et me garde, pensa-t-il, *je préfère vivre ici que de retourner vivre dans leur cage à rats.*

« Mais qu'est-ce que tu as à voir avec Génutopia, Charley ?

— Génutopia ?

— C'est le nom de la société en question, un truc énorme d'après les renseignements que j'ai trouvés. C'est une société qui fabrique des organes artificiels, des tissus synthétiques pour les greffes, des os pour les prothèses. »

Charley ferma les yeux. Génutopia... Génétique utopique... Dire qu'il ne connaissait même pas le nom de ses « fabricants », de ses « constructeurs » ! Pour lui il n'y avait toujours eu que l'Usine.

Morvan poursuivait :

« Ils fabriquent aussi les chimères, tu sais, les jouets vivants... »

Seigneur, pensa Charley, des jouets VIVANTS... Mais que suis-je donc ? Une chimère moi aussi ?

« Dès que je l'ai vu, continuait Morvan, j'ai pensé qu'Odilon était une super-chimère. C'est ça, n'est-ce pas ? C'est lui qu'ils recherchent ? »

Charley rouvrit les yeux, sauta sur l'occasion.

« Oui, oui, répondit-il très vite. Je... j'ai... Je me suis attaché à lui, tu comprends. Je l'ai vu être fabriqué, naître sous mes yeux. Alors quand je les ai entendus dire qu'ils voulaient le détruire car il n'était pas conforme à leur programme, je... je me suis enfui avec lui. Voilà. »

Morvan s'assit sur le banc à côté de lui.

« Je ne dirai rien. Tu sais que moi aussi j'adore ce charat. Ils ne vous trouveront pas.

— Ils vont envoyer quelqu'un ici ?

— Oui. Le message disait qu'ils supposaient que tu avais fui avec les ordures... »

Évidemment, ils ne sont pas si idiots, ils ont compris, mais pourquoi avoir mis dix mois à réagir ?

« Et ils pensent que si tu es vivant, poursuivit Morvan, tu ne peux que te cacher chez les Volcanos.

— Raté. Les Volcanos, je les quitte. C'est justement de ça que je voulais te parler.

— Tu quittes Jani ?

— Jani me quitte plutôt. Elle ne veut plus me voir. Elle accepte très mal la place que j'ai prise, dans sa famille et à Hidos.

— Tu es sûr de ça ?

— Je ne sais pas, je ne sais plus. En tout cas, si je suis recherché sur Vulcain, ils vont commencer par Hidos. Autant que je fiche le camp. Je n'ai qu'une porte de sortie. Toi. Peux-tu m'emmener à Epha ? Je travaillerai avec les Volcanos qui servent les Ords. Personne ne me connaît là-bas, je prendrai un autre nom. »

Morvan réfléchit quelques instants. Charley était suspendu à ses lèvres. À présent, il allait savoir si

Morvan avait vraiment fait table rase de ses préjugés.

« C'est jouable, finit-il par dire. Je vais faire ça pour toi et Odilon. Si je le sauve, tu devras admettre qu'il est autant à moi qu'à toi ! »

Charley poussa un soupir de soulagement. Une chance que Morvan ait toujours son horrible caractère possessif !

« Je vais même demander à Shahinez de t'aider, continua l'Ord. Mon frère Edyn ne verra sans doute aucun inconvénient à te ramener avec nous. Mon père et lui ont déjà entendu parler de toi. Je leur ai dit que j'avais un copain à Hidos, un Volcano pas comme les autres. »

Encore ! songea Charley. Décidément, il n'y pouvait rien, il était condamné à être différent. Et ce n'était pas maintenant qu'il allait vivre en cavale que ça s'arrangerait.

« On y va ? demanda Morvan. Je dois retrouver mon frère à la sortie de la ville dans une demi-heure. Tu n'as rien à faire avant de quitter Hidos ? »

Charley eut une pensée pour Djiz et Doria. Il les avait prévenus. Puisque Djiz avait repris le travail, il allait partir quelque temps vers une autre région de Vulcain. Ayant constaté que Jani n'était plus la même avec Charley, ils avaient compris que là était sans doute la clef du problème. Ils ne voulaient forcer leur fille en rien. Ils avaient fait promettre à

Charley de revenir. Sa place serait gardée dans la maison.

Il installa Odilon sur son épaule. Il n'avait pas de bagages. C'était mieux ainsi pour un nouveau départ sur Vulcain. Il se trouvait aussi démuni que lorsqu'il avait émergé de son container le premier jour.

« On peut y aller, dit-il.

— Alors en route, dit Morvan. Je suis ravi de pouvoir enfin te montrer notre île et ma ville. »

[illegible]

Quand il pénétra dans l'enseignement des Cadets, Gamby fut déçu. Jamais il n'aurait imaginé qu'on [illegible] puisse [illegible] à [illegible] qu'il avait vu sur Terre, [illegible] de [illegible] [illegible] on [illegible] [illegible]. Mais de [illegible] [illegible] il [illegible] [illegible] les [illegible] [illegible] de [illegible]. [illegible] il comment il [illegible] [illegible] une salle de repos [illegible] la [illegible] une [illegible] salle de pilotage. [illegible] le pilote [illegible] [illegible] les [illegible] [illegible] de [illegible].

12

Edyn

Quand il pénétra dans l'aéroglisseur des Cadfar, Charley fut ébahi. Jamais il n'aurait imaginé qu'un tel luxe puisse exister. À la différence des véhicules qu'il avait vus sur Terre, véhicules de déplacement à quatre ou six places, celui-ci était un glisseur de croisière. Muni de radars très puissants, il pouvait détecter les konts, évitant tout risque de collision. L'appareil comportait plusieurs pièces : des cabines, une salle à manger, une salle de repos et, dans la partie supérieure, une magnifique salle de pilotage. Par le hublot, une véritable baie, le pilote et ses passagers dominaient les paysages survolés avec l'impression unique de flotter dans l'air comme par magie.

Les moteurs antigravitation permettaient un déplacement tant horizontal que vertical silencieux et doux, donnant une sensation identique à celle que devait procurer, dans des temps reculés, les voyages en ballon.

Le glisseur des Cadfar avait la rutilance et la splendeur des luxueux zeppelins du passé. Tout y était dorures, velours, fauteuils profonds de cuir souple.

« On se croirait dans un roman de Jules Verne... » murmura Charley, impressionné. Morvan éclata de rire.

« Tu ne crois pas si bien dire. Ce glisseur s'appelle le *Némo* ! On peut le coupler avec un propulseur spatial ; il se transforme alors en vaisseau interplanétaire. Mon père l'a utilisé plusieurs fois pour se rendre sur Agora.

— Tu y es déjà allé ?

— Jamais. Mais je sais que j'irai tôt ou tard. Morvan Cadfar ne peut que se rendre un jour dans la station gouvernementale. »

À ces mots un rire moqueur retentit dans leur dos.

« Tu es bien présomptueux ! Si Père était là, il te dirait qu'Agora se mérite. N'y sont admis que les gouvernants ou ceux ayant des communications à faire intéressant les Trente Mondes... Tu n'es pas près de t'y rendre, Gramme ! »

Morvan fit la moue.

« Je te présente Charley, dit-il au nouvel arrivant. Charley, voici le grand, l'unique, le parfait Edyn Cadfar, mon frère ! »

Le jeune homme adressa un petit signe de tête à Charley.

« Vulcain pour toi... Il paraît que tu es différent ?

— Je suis un Volcano.

— C'est tout ? Quel intérêt ?

— Il est venu dans un kont depuis la Terre et il a survécu au vide, intervint Morvan très vite.

— Ah oui ? Et quoi d'autre ?

— Il a du culot, dit encore Morvan avec conviction, et je l'apprécie.

— Que comptes-tu en faire ?

— Il peut être utile...

— À quoi ? »

Charley, que cet échange à son propos agaçait, prit soudain la parole. Après tout il était une marchandise hors du commun ! Il fallait que ces Ords méprisants en prennent conscience.

Il dit sur un ton d'ironie glaciale :

« Laver le fond de la piscine ? Je peux rester en apnée quinze minutes. Remuer les braises du barbecue ? Je prends dans mes mains un fer rougi à cent degrés sans problèmes. Déboucher le pot d'échappement du glisseur en reniflant ? Je respire un air à 100 % de gaz carbonique quand on veut ! Et ce n'est pas tout. J'en cache et sûrement des meilleures ! Ces messieurs n'ont qu'à demander. Charley pour les servir. »

Cela dit il s'inclina, caricatural, devant les deux Ords.

Edyn Cadfar écarquillait les yeux et ouvrait la bouche d'étonnement. Visiblement il hésitait entre la colère et l'amusement. Il se tourna vers son jeune frère, qui fit une petite moue et haussa les épaules en souriant.

« Je te l'ai dit. Il est différent.

— Bien, Charley Volcano. J'accepte de t'emmener avec nous à Epha. Si tu es vraiment aussi résistant que tu le dis, tu m'intéresses. Je reconnais que Gramme a raison. Tu sors du commun. »

Charley se sentit soulagé. Il pouvait se permettre de dire n'importe quoi, même la vérité ! Personne ne le croyait. Les Ords étaient seulement intrigués par son comportement parce qu'il n'était pas soumis devant eux comme la plupart des Volcanos. Peut-être parce qu'il avait connu Morvan dès son arrivée et qu'il avait senti derrière sa rage et sa violence un profond besoin d'amitié et de contact. Lui-même en avait tant besoin...

« Merci, dit-il. Je ne sais comment je vous le rendrai, mais si je peux vous aider un jour, je le ferai. »

Edyn se détourna en direction du poste de pilotage.

« Je peux poser une question ? » dit Charley.

L'Ord se retourna.

« Pourquoi appelles-tu ton frère "Gramme" ? demanda Charley à Edyn.

— À ton avis ? Parce qu'il ne pèse pas grand-chose dans la balance des mondes, et aussi parce qu'il n'a rien dans la tête ! » répondit l'Ord dans un grand éclat de rire. Puis il s'éloigna dans la coursive vers la salle des commandes. Charley se retourna vers Morvan, Ce dernier était en train de faire un geste évocateur du peu de respect qu'il manifestait à son aîné...

« Quel borné ! Moi, je l'appelle Kilo, tellement il est lourd parfois... Allez viens, je vais te montrer la salle de repos. Le voyage dure presque deux heures. On va se mettre dans les fauteuils un moment. À l'approche d'Epha nous monterons près de Edyn pour que tu voies l'île et la ville par la baie panoramique. Ça vaut le coup d'œil. Il n'y a aucun autre endroit semblable parmi les Trente Mondes. »

Quelques minutes plus tard, le *Némo* survolait Hidos et la chaîne du Natoubo. Charley se pencha vers un petit hublot rond pour regarder. Son cœur se serra. Il éprouva un pénible sentiment de culpabilité mêlé de honte. Là, en bas, des Volcanos grattaient les ordures, fouillaient la boue du monde jusqu'à mourir rongés par le mal rouge.

Et parmi eux, Jani. Pourquoi l'avait-elle rejeté ?

C'était sa faute s'il partait. Il eut un doute : se pouvait-il que la rouille... ?

Impossible ! Jani et ses jolies jambes... Elle était invulnérable. Quand la reverrait-il ?

12

Lydia

[illegible] Lydia [illegible] en pointant [illegible]
horizon.

À travers la baie vitrée du cockpit, [illegible] des Ind[illegible] [illegible] pas de [illegible] peu de [illegible] eut [illegible] au [illegible] si [illegible]... À peine [illegible] ces deux pays.

[illegible] Eden [illegible] sur [illegible] une [illegible] du pilotage [illegible] Charles [illegible] Moreau [illegible]

13

Epha

« On arrive ! » dit Morvan en pointant le doigt vers l'horizon.

À travers la baie vitrée du cockpit, Charley aperçut l'île des Ords, empreinte verdoyante sur le bleu de l'océan. Ici, pas de konts et si peu de cendres... Charley eut à nouveau un pincement au cœur. La vie des Volcanos était si différente... À peine plus de deux mille kilomètres entre les deux peuples.

Le *Némo* amorça sa descente. Edyn gardait les yeux fixés sur ses appareils de contrôle. On sentait chez lui une longue pratique du pilotage antigravitation. Charley se souvint que Morvan, fièrement, avait dit que son frère était pilote d'un vaisseau-benne.

« Les vaisseaux-bennes sont-ils stationnés sur l'île ? Est-il possible de les voir de près ? » interrogea-t-il soudain.

Edyn lui jeta un coup d'œil amusé.

« Tu t'intéresses à nos vaisseaux ?

— Je les ai si souvent admirés depuis le sol, dit-il. Je me suis toujours demandé comment ils fonctionnaient exactement.

— C'est simple, répondit Edyn. Ce sont des rectangles creux. À l'avant il y a la cabine de pilotage, à l'arrière, les moteurs antigrav, entre les deux : la soute. Les containers de déchets ultimes sont accrochés au plafond de la soute sur les rails. On charge les containers, on décolle, on se positionne près des cratères type Stromboli et on attend la fin de l'éruption. On a un quart d'heure pour se mettre à l'aplomb du cratère, ouvrir la soute, larguer les containers, refermer et se dégager avant l'éruption suivante. »

Charley écoutait, fasciné. Il avait vu les vaisseaux-bennes passer au-dessus d'Hidos mais ils allaient larguer plus loin que la chaîne du Natoubo dont l'activité n'était pas suffisante pour détruire les ultimes. Les pilotes Ords larguaient dans les volcans de la chaîne du Katoa ou du Jiyama. L'expression « jouer avec le feu » prenait ici tout son sens.

« Serait-il possible d'assister à un largage un jour ? demanda Charley.

— C'est un métier ord, un privilège ord », déclara Morvan en relevant le menton.

Son frère haussa les épaules en souriant.

« Au lieu de péter d'orgueil, explique-lui donc l'architecture de l'île », dit-il en se concentrant à nouveau sur son ordinateur de bord.

Charley n'insista pas. Mais il avait bien remarqué que le jeune homme n'avait pas répondu à sa question. Il se promit de revenir à la charge une autre fois.

À travers la baie vitrée, le spectacle devenait stupéfiant. Charley écouta les explications de Morvan.

Lors de la Grande Recherche, les Terriens, trop à l'étroit sur leur planète, avaient décidé de partir à la découverte d'autres mondes habitables. Un découvringénieur du nom de Ledoux avait été le premier, avec son équipage, à poser le pied sur Vulcain. Lointain descendant d'un architecte visionnaire, Ledoux avait voulu réaliser le rêve utopiste de son aïeul. Il avait fait construire sur Vulcain ce qui n'avait pu être fait sur Terre.

La ville d'Epha n'était pas une ville. L'île d'Epha n'était pas une île non plus. Les deux étaient si étroitement unies que l'on ne pouvait parler que d'île-ville.

L'île était circulaire, la ville était circulaire, le bâtiment central était une sphère. L'ensemble était comme l'œil de la conscience au fond de la tombe, regardant les Trente Mondes.

« Tous les bâtiments ont été dessinés au XVIIIe siècle par Claude-Nicolas Ledoux, dit Morvan. Chaque bâtiment devait constituer un élément d'une gigantesque usine. Le palais du gouvernement que tu aperçois là-bas était prévu pour être une forge à canons. »

Morvan désignait sur la gauche, en dessous du glisseur, un immense ensemble de constructions dessinant un carré. Aux quatre angles, de très hautes pyramides montaient à l'assaut du ciel. Chaque côté du carré avait la forme d'un escalier de titan abritant sans doute dans ses flancs les nombreux bureaux de l'administration ord.

« Et tu dis que l'idée date de cinq siècles ? »

Charley était enthousiasmé par ce qu'il voyait.

« Non seulement l'idée, mais les plans ! Les premiers Ords n'ont fait que multiplier les proportions, vu les moyens technologiques de construction dont ils disposaient pour aménager l'île-ville.

— Et celui-là, demanda Charley en désignant l'immense sphère au centre de l'île, c'était un bâtiment prévu pour quoi ?

— C'était la maison des gardes agricoles, et ces deux-là, la maison des bûcherons et l'atelier des ouvriers des cercles... »

Morvan montrait deux constructions étonnantes : une pyramide tronquée et un cylindre.

« Tout est basé sur des formes géométriques, dit-il.

— Oui, répondit Morvan. Géométrie, harmonie, équilibre. Le paradis.

— Paradis tout de même un peu étouffant, remarqua Edyn. Il n'y a guère d'échappatoire au cercle. Entre le capharnaüm d'Hidos et l'ordre d'Epha, il y a peut-être un juste milieu qui reste à construire.

— Où ? s'enquit Charley.

— Le dernier continent. »

Charley eut une moue interrogatrice. Il n'avait jamais entendu parler de « dernier continent » sur Vulcain. À sa connaissance il n'y avait qu'un immense continent, celui des Volcanos, puis l'île des Ords et l'océan.

« Le dernier continent, c'est le dada d'Edyn, se moqua Morvan. Loin au sud, sur des kilomètres carrés, le fond de l'océan est à peine trois mètres sous l'eau. Edyn voudrait ceinturer d'une digue, pomper et mettre des occupants dans les lieux. »

Charley se tourna vers le pilote.

« Qui ? demanda-t-il.

— Les imbéciles du genre de Morvan qui ont la bonne idée de tomber amoureux d'une Volcanette. »

Morvan devint blême. Son frère se tourna légèrement vers lui.

« Comment, Gramme, tu ne savais pas que je savais ?

— Edyn, je vais t'expliquer..., haleta Morvan.

— Inutile. Tu fais ce que tu veux avec ta petite mignonne. Mais un jour il faudra bien un endroit pour les gens comme vous. Hidos, Epha ?

— L'un des Trente Mondes ? hasarda Charley pour tenter de venir en aide à son ami qu'il sentait effondré.

— Je vois que ton ami ord ne t'a pas informé de tout, Charley Volcano, constata le jeune pilote sur un ton amer.

— Que veux-tu dire ? insista Charley, voyant qu'Edyn faisait mine de ne vouloir rien ajouter.

— Bienvenue à Epha, la ville ord », continua-t-il tandis que le *Némo* descendait doucement à l'horizontale au-dessus d'une immense cour en demi-cercle entourée de bâtiments à colonnades.

« Te voilà au domaine de Maatchi Cadfar, gouverneur numéro cinq de la planète Vulcain. Mais ne te fais aucune illusion. Tu ne partiras pas plus d'ici que d'Hidos. Car les Trente Mondes ne veulent pas des Vulcaniens. Personne n'a été autorisé à émigrer depuis trois générations. »

14

La nuée ardente

Depuis une semaine, Charley vivait dans l'ombre du grand domaine des Cadfar. L'endroit portait le nom de « La Saline ». Il était constitué de dix immenses bâtiments disposés en demi-cercle. On entrait par un porche monumental garni de six colonnes. En face, de l'autre côté de la cour, se dressait la maison d'habitation des Cadfar. De chaque côté, les bâtiments étaient voués à de multiples activités. À l'extérieur du domaine, un petit village volcano regroupait les employés du domaine. Morvan y avait conduit Charley le premier soir. Il l'avait présenté à Shahinez, adorable Volcanette au nez retroussé et au regard brillant. Mais dès le lendemain il l'avait ramené avec lui à La Saline, l'installant dans le grenier d'un bâtiment de l'aile droite.

C'est là, assis sur des poutres transversales de la charpente, qu'ils étaient en train de bavarder. Dehors, le soir tombait.

« Demain soir mon père revient. Je te présenterai à lui. Je suis sûr qu'il acceptera que tu restes à La Saline. »

Charley aurait aimé partager la confiance de Morvan. Mais il redoutait de rencontrer le gouverneur Cadfar. S'il était au courant de l'avis de recherche lancé contre lui, comment allait-il réagir ?

« En attendant, demain nous allons avec Edyn. Il accepte de nous emmener avec lui pour un largage dans la chaîne du Jiyama. »

Charley bondit de joie.

« Vrai ? On montera avec lui ?

— Non, il n'y a de la place que pour le pilote dans un vaisseau-benne. On le suivra dans le furet, le vaisseau de contrôle. Les vaisseaux-bennes se déplacent par train de dix ou vingt. Il y a toujours un furet qui veille à la coordination des opérations. On sera là. On verra tout. »

Charley fut un peu déçu à l'idée de ne pas pénétrer dans un vaisseau-benne. Mais c'était déjà bien de les voir travailler de près.

« Je te laisse. Voilà de quoi manger pour toi et Odilon. Tu peux sortir te promener dans la cour derrière la Maréchalerie. Ce soir il n'y a personne. Ma mère et Edyn sont sortis. Je suis libre. Je vais retrouver Shahinez. Tu sais qu'elle m'a dit qu'elle connaissait Jani ? Elle est d'Hidos elle aussi... »

Charley voulut le retenir pour en savoir plus mais le jeune Ord avait déjà dévalé l'escalier et disparaissait en agitant la main.

Le lendemain, le soleil double était à son zénith au moment où le train de vaisseaux-bennes atteignit la chaîne du Jiyama. La vaisseau d'Edyn fermait la marche. Depuis le furet, petit vaisseau antigrav très mobile, Charley et Morvan ne perdaient pas une miette du spectacle. Ils avaient déjà vu cinq vaisseaux larguer leur chargement de containers. Bourrés à ras bord de déchets ultimes : radioactifs essentiellement, produits chimiques indestructibles, etc.

« Ça ne risque pas d'exploser ? s'enquit Charley naïvement.

— Une bombe atomique n'est rien du tout à côté de la puissance d'une éruption volcanique, expliqua le pilote du furet. On a vu des souffles de gaz monter à mille kilomètres/heure et plusieurs milliers de degrés à trente kilomètres d'altitude très loin à l'est du continent.

— Regardez, l'interrompit Morvan, ça va bientôt être au tour d'Edyn.

— Votre frère est l'un des meilleurs, Morvan. Vulcain le garde. »

Alors que les vaisseaux vides s'éloignaient vers l'ouest pour rejoindre Epha, les deux derniers attendaient leur tour.

« Qui est avant lui ? demanda Morvan.

— Bondès, répondit le contrôleur en consultant son écran. Son vaisseau vient d'être révisé, celui de votre frère doit l'être lors de la prochaine dizaine. »

Ils virent le vaisseau de Bondès se positionner au-dessus du cratère. Le temps semblait très long alors qu'en réalité il ne se passait que quelques minutes entre l'entrée du vaisseau dans la zone de danger et le moment où il se remettait en mouvement pour s'éloigner.

Bondès se dégagea. L'éruption reprit.

Après chaque largage le volcan crachait son venin comme un serpent frustré de voir sa proie lui échapper.

« Le volcan se calme, constata Morvan, Edyn va pouvoir y aller. »

En effet, les projections jaillissant du cratère étaient en train de faiblir et, à peine soulevées, les roches retombaient dans le lac bouillonnant de laves.

« Maintenant ! dit le contrôleur dans le micro.

— Bien reçu, répondit la voix d'Edyn. Avancée

cinq minutes, largage trois minutes, dégagement quatre minutes. J'y vais. »

Les yeux rivés en direction du cratère, Charley et Morvan virent le grand vaisseau avancer sans heurts jusqu'à l'aplomb du volcan.

« Dieux, murmura Charley, je ne m'y habituerais pas. Comment font-ils tous pour rester aussi calmes ?

— Ce sont des maîtres, répliqua le contrôleur sur le même ton, le fauve se couche à leurs pieds. »

Mais le fauve semblait nerveux. La surface du lac de lave se souleva soudain comme sous l'effet d'une énorme bulle de gaz venue crever à la surface. Des roches commencèrent à jaillir au-delà du rebord du cratère.

« L'éruption reprend trop vite, cria soudain le contrôleur dans le micro, Edyn, dégagement, dégagement. »

Les containers étaient à présent tous décrochés et tombaient en tournoyant comme des fétus de paille dans le souffle montant des gaz. Mais les portes ventrales du vaisseau étaient en train de se refermer. Edyn ne pouvait dégager que lorsque sa soute était close.

« Edyn, dégagement ! » hurla une seconde fois le contrôleur.

Un autre cri retentit soudain dans les haut-parleurs.

« Qu'est-ce qui se passe ? »

C'était Bondès qui assistait à la scène de l'autre côté du cratère.

« Dégage, Edyn, hurla-t-il.

— La soute ne se referme pas ! cria Edyn en réponse. Furet, j'ai combien de temps ?

— Deux minutes, deux minutes, répondit le contrôleur. Dégagez, Edyn, coûte que coûte.

— Soute ouverte ?

— Bon Dieu, oui, essaie ! hurla encore Bondès.

— Je vais vriller, je vais décrocher ! » annonça Edyn.

Charley serra le coude à Morvan en lui montrant le cratère. La surface du lac de lave était en train de gonfler d'une façon titanesque, gigantesque pustule prête à bondir à l'assaut du ciel et du vaisseau immobilisé.

Morvan sauta sur le micro.

« Edyn, une nuée, une nuée ardente va monter. »

Tentant le tout pour le tout, Edyn poussa à fond la puissance de ses moteurs. Le vaisseau fut parcouru d'un grand frisson et amorça lentement un mouvement. Mais il partit en crabe, glissant sur le côté, essayant vainement de se redresser.

« Je ne peux pas... Ça lâche ! Je tombe...

— Maudit, maudit ! » tempêta le contrôleur en donnant un violent coup de poing sur l'accoudoir de son siège.

Sous le regard épouvanté de Charley et de Morvan, le vaisseau-benne prit de plus en plus de gîte et se mit à descendre à une vitesse vertigineuse en direction du cratère. La nuée creva à la surface du lac et dans une gerbe de feu monta lécher le ventre ouvert du vaisseau-benne. Dans un dernier sursaut le pilote parvint à se dégager de l'anneau infernal du cratère.

Comme un papillon venant de se brûler les ailes, le vaisseau s'écrasa sur le rebord extérieur du volcan.

Les dents serrées sur son poing pour étouffer ses hurlements, Morvan vit la boule de gaz en feu retomber sur le pourtour du cratère, glisser sur les côtés du cône et recouvrir dans sa course folle l'épave du vaisseau d'Edyn.

L'éruption s'arrêta. Les dernières langues de feu s'éteignirent.

Au tumulte succéda petit à petit un silence épouvantable. Jusqu'à ce que la voix de Charley dise :

« Vous avez un treuil ? Descendez. Je vais aller le chercher. »

Incrédule, le contrôleur se tourna lentement vers l'adolescent.

« Tu crois..., bégaya Morvan, tu penses y arriver ?

— Il est peut-être encore vivant, je dois essayer.

— Vous voulez dire que vous allez marcher sur

ces roches brûlantes ? demanda encore le contrôleur ahuri.

— Il peut le faire. Obéissez-lui, vite », dit Morvan avec brusquerie en l'obligeant à reprendre les commandes du furet.

Bondès n'oublierait pas de sitôt ce qu'il vit depuis son vaisseau, là-haut. Personne ne le croirait quand il raconterait que, tel un diable sorti tout droit des flammes de l'enfer, Charley avait couru sur la coque incandescente du vaisseau d'Edyn. Petite silhouette irréelle, il avait accroché le corps du pilote au treuil, avant de remonter lui-même par le même chemin.

« Je l'ai vu, de mes yeux vu, dirait le pilote, il était accroché sous le ventre du furet lorsque l'éruption a repris. Les gaz et la température sont inconcevables à ce moment-là. Ou ce gars est un démon ou c'est l'avenir de Vulcain. »

15

Ord Maatchi Cadfar

La Saline se terrait dans l'épouvante. Chacun se taisait, vaquant à ses occupations dans un silence de mort. Les hurlements de douleur d'Edyn agonisant dans d'affreuses souffrances vrillaient les tympans de tous à intervalles réguliers.

Charley, retranché dans son grenier, tremblait en entendant les cris du jeune pilote. Les mains sur ses oreilles, prostré sur son matelas, il attendait que les heures passent, dévoré par le remords.

C'était pourtant lui qui avait sauvé Edyn. Grâce à lui le jeune pilote n'avait pas disparu corps et bien, au rebord d'une gueule de volcan. Il était là, chez lui, ses parents et son frère à ses côtés. Hélas !

Était-ce une bonne chose que de le ramener, si c'était pour qu'il endure de telles souffrances ?... Charley ne cessait de se poser la question. En plus, il se torturait à l'idée que sa peau à lui avait résisté et que peut-être les chirurgiens de Génutopia sauraient comment soulager Edyn...

Il se leva, marchant de long en large, passant sa main nerveusement dans ses cheveux.

Avouer la vérité ? Aller trouver Maatchi Cadfar, le père de Morvan et d'Edyn, et lui annoncer :

« Je sais comment soulager votre fils. Adressez-vous à Génutopia et vous aurez les meilleurs généticiens des Trente Mondes, capables de greffer une peau comme la mienne qui se régénère instantanément ! »

Non. Impossible. C'était révéler qui il était, être identifié comme le fugitif que l'on recherchait, être arrêté, enfermé...

« Je ne supporterais pas de redevenir un animal de laboratoire ! »

Charley se rassit, abattu, et reprit sa position accablée sur le lit. Odilon vint frotter son museau contre sa main.

« Petit frère, tu me comprends, toi, n'est-ce pas ? La liberté n'a pas de prix ! »

Même pas la vie d'Edyn, le frère de ton ami ? demanda la petite voix de la conscience au fond de lui.

« Non. »

Il frappa du poing sur son lit, mit le charat sur son épaule et descendit de son grenier pour aller s'asseoir près du mur d'enceinte de la propriété. Peut-être Morvan allait-il venir ce soir ?

Le calvaire que vivait Edyn anéantissait la famille Cadfar. Depuis deux jours que l'accident avait eu lieu, Charley n'avait vu Morvan que quelques minutes, la veille au soir. En entendant un bruit dans son dos, il crut que c'était son ami qui venait le rejoindre. Mais en se retournant il aperçut un homme de haute stature, tout de bleu vêtu. Charley bondit sur ses pieds, serrant Odilon contre lui.

« Je suis venu te remercier d'avoir sauvé la vie de mon fils, même si, hélas, il est en train de mourir. Ton geste a été courageux au-delà de l'humain. Pour cela, je viens m'incliner devant toi. »

Joignant le geste à la parole, Maatchi Cadfar se courba devant Charley stupéfait qui bégaya :

« Mais... Non... Je vous en prie, monsieur...

— Appelle-moi Ord. C'est mon titre. J'en suis fier. Je suis Ord Maatchi Cadfar, dixième du nom. Et mon fils Edyn aurait dû reprendre ce titre. Il reviendra sans doute à Morvan, qui est encore bien jeune, mais que cette terrible épreuve va mûrir. Il avait déjà du jugement pour t'avoir choisi comme ami, maintenant il aura de la raison. »

Ne sachant quoi répondre, Charley murmura :

« J'aime beaucoup Morvan...

— Et il te le rend bien. Il t'admire. Il ne sait pas ce que tu es. Il croit seulement en ta chance ou au miracle. Mais moi, je sais qui tu es. »

Charley se raidit, ses mâchoires se crispèrent.

« Je... je suis un Volcano...

— Recherché par la police. »

Comme Charley pâlissait et faisait un pas en avant, prêt à parler, Ord Cadfar l'interrompit d'un geste.

« Ne crains rien, je ne dirai rien. Je crois comprendre pourquoi on veut te retrouver mais tu as sauvé mon fils de l'oubli des volcans en lui permettant de venir finir sa vie à La Saline. Ça me suffit. Tu peux rester au domaine. Ta place est près de nous. »

Il fit encore un petit signe et s'éloigna de quelques pas. Puis il se retourna à nouveau :

« Tu te demandes peut-être comment j'ai su pour cet avis de recherche lancé contre toi par Génutopia ? Les messages de cette nature sont toujours adressés aussi au palais du gouvernement. Quand je t'ai vu le soir de l'accident, lorsque le furet s'est posé là, dans la cour, je t'ai reconnu. »

L'homme s'éloigna, très digne, en direction de sa maison.

Charley resta immobile, étourdi par la révélation. Il ne se sentait pas digne de la confiance de cet homme alors qu'il connaissait peut-être le moyen de sauver la vie de son fils aîné. La honte le submergea, mais il ne se décidait toujours pas à révéler la nature « améliorée » de son corps, de sa peau. Il avait trop peur qu'on ne lui laisse pas le libre choix de sa vie. Sa décision fut prise en quelques instants. Il n'était pas digne de la confiance d'Ord Cadfar, il n'était plus digne d'être l'ami de Morvan, il était trop lâche. Rester à La Saline ? Impossible.

Il prit le chemin du village volcano.

*
* *

Un quart d'heure plus tard, il avait rejoint Shahinez.

« Tu veux vraiment partir ?

— Oui. Aide-moi, je t'en prie. Je suis venu avec Morvan et Edyn dans le *Némo.* Je n'ai aucune idée de ce qu'il faut faire pour retourner sur le continent. »

La Volcanette prit une carte dans un tiroir. Elle déroula le tissu griffonné sur la table et montra à Charley l'emplacement de l'embarcadère.

« Il y a un bateau matin et soir, qui fait la traversée. Il te faut un peu d'argent. Tiens, prends. Morvan me le rendra. Qu'est-ce que je vais lui dire ?

— Rien. Donne-lui Odilon, c'est tout.

— Odilon ? Tu ne l'emmènes pas ?

— Je... Je dois quelque chose à Morvan. Odilon... compensera. Un jour, je lui expliquerai. Pour l'instant, je ne peux pas. »

J'aurais pu sauver la vie de son frère...

*
* *

Le bateau quitta le quai à huit heures du matin. Charley avait dormi près des docks, entre les cordages. La chaleur d'Odilon lui avait manqué toute la nuit. Mais il était sans doute mieux pour lui de rester à La Saline. Là-bas il serait à l'abri, protégé par Morvan.

Un frisson, une capuche serrée sous le menton, deux coudes sur le bastingage.

« Alors, moussaillon, on quitte Epha, les espoirs ont été déçus dans la grande capitale ord ? »

L'homme, un solide Volcano, riait d'un magnifique sourire édenté. Il donna une bourrade dans le dos de Charley.

« Je m'appelle Jocé. Je travaille au port de Lorze. C'est là qu'on va accoster. Tu sais où aller en arrivant ? »

Charley hocha la tête en signe de dénégation.

« Tu sais nager ? Plonger en apnée ?

— Oui.

— Je t'embauche. Je décape les coques des

bateaux à quai en faisant sauter au couteau de gros coquillages qui se collent dessus. Ça te va ? »

Charley acquiesça. Jocé serait content de son employé. La dernière fois qu'il avait plongé en apnée sur Terre, il était resté dix-sept minutes sans remonter.

« Je m'appelle Noli », dit-il en serrant la main du marin.

16

Shahinez

Depuis un mois qu'il travaillait avec Jocé, Charley n'avait guère eu le temps de penser. Le marin lui avait trouvé un petit logement au sud du port, dans un ensemble de containers loués par une vieille logeuse. Chaque soir, Charley rentrait, mangeait une grande assiette de soupe, croquait des fruits, puis allait s'allonger sur sa paillasse, à la recherche de l'oubli dans le sommeil.

Jocé et lui plongeaient six heures par jour. Charley avait fait tout son possible pour ne pas attirer l'attention sur lui. Même s'il pouvait rester dans l'eau très longtemps, il refaisait surface à intervalles raisonnables. Même s'il ne se fatiguait pour ainsi dire pas, il prenait une pause d'un quart d'heure toutes les deux heures. Pour lui, l'essentiel était que ses occupations lui fassent oublier une partie de ses problèmes. Et c'était le cas.

Jocé était content de lui. Il voulait le garder. Le pêcheur n'avait pas cherché à savoir qui il était ni d'où il venait. Il ne l'avait jugé que sur son travail.

Charley vivait dans un état second, presque tranquille.

La réalité se rappela à lui un après-midi, alors qu'il faisait sa pause.

Jocé était en plongée au bout du port. Charley était revenu en direction d'une petite boutique sur la digue pour acheter une ou deux bouteilles de jus de pommelles bien fraîches. Alors qu'il contournait la longue coque d'un bateau en cale sèche, il aperçut deux personnes de dos sur le pas de la porte de l'épicerie. La marchande était en train de faire « non » de la tête avec une petite moue.

Le cœur de Charley bondit lorsqu'il reconnut les deux silhouettes. Jim et Clara !

Il recula lentement, se fondant dans l'ombre du bateau jusqu'au bout de la cale sèche. La mer était là, à ses pieds, en bas de la digue. Avant de plonger, il jeta un dernier coup d'œil dans la direction de la boutique. Jim et Clara – c'était bien eux – regardaient en direction de l'entrée du port. La vue de ses tuteurs déclencha en lui un tumulte de sentiments. Ainsi, ils étaient sur Vulcain ! Ils l'avaient presque retrouvé. Peut-être ne lui voulaient-ils pas de mal ? Clara l'avait élevé, il l'avait toujours considérée comme sa mère, jusqu'au jour où elle lui avait dit que non, Jim et elle n'étaient pas ses parents, que ses parents étaient inconnus, qu'il était un enfant adopté...

Adopté ! Foutaises ! Fabriqué... Ce sont eux qui t'ont fabriqué, mon vieux C.H.A.R.L.Ey ! Ce sont eux qui ont fait de toi le cobaye que tu es...

La rage au cœur, il se tourna vers la mer et plongea.

Il nagea en apnée le plus longtemps possible, utilisant toute la puissance de ses poumons de quasi-poisson. Quand il émergea enfin, très au sud, il était loin du danger et près de son logement. Il sortit de l'eau entre les rochers et regagna rapidement l'ensemble de containers de location. Il fallait qu'il parte, le plus vite possible. Quelqu'un allait bien le reconnaître dans la description de Jim et Clara. Tôt ou tard ses tuteurs comprendraient que le plongeur Noli et le cobaye Charley ne faisaient qu'un.

Il s'apprêtait à entrer dans le container qui lui servait de chambre afin de récupérer son argent, lorsqu'il entendit une voix dans son dos.

« J'ai eu du mal à te retrouver. »

Il se retourna d'un bloc.

Shahinez était devant lui.

« Heureusement que je savais que le bateau que tu avais pris accostait à Lorze. Depuis ce matin, j'interroge tout le monde. Je ne savais pas sous quel nom tu étais là, mais Morvan m'a dit : *Ou il grimpe ou il plonge, mais il est sûrement là où les autres ne peuvent ni respirer ni marcher.* Et voilà, je t'ai trouvé, Charley Volcano.

— C'est Morvan qui t'envoie ?

— Non. Je suis venue de ma propre initiative, car il y a deux choses qu'il faut que tu saches.

— Tu es au courant pour mes tuteurs ? Les ingénieurs de Génutopia ? Ils sont là. Je les ai vus sur le port tout à l'heure.

— Je sais que des gens de Génutopia sont sur Vulcain. Morvan m'a mise au courant. Mais je ne savais pas qu'ils étaient déjà si près de te retrouver. En tout cas, les Cadfar n'ont rien dit. S'ils ont eu des renseignements, c'est par d'autres. Il est vrai qu'après l'accident d'Edyn, tout le monde a parlé de toi.

— Comment va-t-il ? demanda Charley dans un souffle, le cœur transpercé.

— Il est mort. »

Charley ferma les yeux.

« Deux jours après ton départ. »

Shahinez posa sa main sur le bras de Charley.

« Tu n'y es pour rien.

— Si. Tu ne peux pas comprendre. »

La petite Volcanette vit perler les larmes au bord des yeux de Charley.

« C'est pour me dire ça que tu m'as cherché ? » demanda-t-il en la regardant à nouveau.

Elle hocha la tête négativement. Devant la peine de Charley, elle ne savait plus comment continuer.

« Je... C'est Odilon, dit-elle brusquement.

— Odilon ?

— Il a été très malheureux après ton départ, il s'est ennuyé. Morvan a pourtant fait tout ce qu'il pouvait. Il s'en est très bien occupé. Odilon était l'objet de tous ses soins. Mais... mais ça n'a pas suffi. »

Le souffle de Charley s'accéléra, l'angoisse envahit son visage. Shahinez poursuivit d'une voix catastrophée :

« Il a refusé de prendre toute nourriture. Il... il est mort lui aussi, la semaine dernière. »

Charley sentit ses jambes manquer sous lui. Il recula d'un pas, s'adossant contre la paroi du container.

Petit frère, pensa-t-il, *j'ai abandonné Edyn, je t'ai abandonné aussi, et vous voilà partis tous les deux. Par égoïsme, parce que je ne voulais pas qu'on me reconnaisse pour me ramener à l'Usine... Tout cela pour en arriver à ce que Jim et Clara me retrouvent tout de même ! Comment pourrai-je oublier un jour ?*

« Morvan est désespéré, continuait Shahinez, il ne cesse de répéter qu'il ne se le pardonnera jamais, que tu ne peux que lui en vouloir... Il ne voulait pas que tu saches qu'il ne parvenait pas à s'occuper d'Odilon. C'est pour ça que je n'ai pas cherché à te retrouver plus tôt.

— Mais non, c'est moi le responsable, moi et moi seul. Je le lui dirai. Je vais repartir avec toi à La Saline. Je vais aller dire la vérité aux Cadfar. Je leur dois bien ça. Ensuite... Mes tuteurs vont me retrouver de toute façon. »

Shahinez vint s'adosser près de lui. Ils se tenaient côte à côte, ne se regardant pas.

« Attends, dit-elle encore, avant de rentrer à La Saline, il y a autre chose. Je n'étais pas venue pour te parler d'Edyn, mais pour te parler d'Odilon et... de Jani. »

Le corps de Charley se tétanisa.

« Jani... ? » murmura-t-il.

Était-ce l'instant de vérité ? Ce moment terrible où il allait devoir admettre que depuis le début *il savait* ?

« J'étais à Hidos la semaine dernière, dit la jeune fille. J'avais perdu Jani de vue depuis plusieurs années, depuis que mes parents se sont installés à

Epha. Mais comme je savais que tu la connaissais, je suis passée la voir. »

Elle fit un quart de tour et vint poser son front contre la poitrine de Charley.

« Il faut que tu y ailles, Charley. Elle a la rouille fulgure. »

17

Génutopia

Le chartaxi qui avait conduit Charley jusqu'à Hidos avait mis six heures pour couvrir la distance entre Lorze et la vallée du Natoubo. Le voyage s'était effectué de nuit. À mi-parcours, le chartaxi s'était immobilisé pour regarder un largage. Les konts traversant le ciel nocturne étaient autant de météorites meurtrières. Les traces de feu des containers chauffés à blanc rappelaient à tous ceux qui contemplaient le ciel que la mort était sans doute au rendez-vous quelque part.

Le chartaxi était rapide, mais c'était un fardier volcano, donc rampant. Charley aurait préféré un vaisseau ord comme le *Némo* pour se rendre plus vite près de Jani. Mais le *Némo* était à La Saline. Shahinez avait dit :

« Je repars à Epha. Une demi-journée de bateau. Toi, va à Hidos. Je vais essayer de convaincre Morvan de t'y rejoindre. Mais je ne te promets rien. C'est une crasse de têtu, mon Ord ! Personne ne peut le faire changer d'avis. »

Malgré toute la peine qui le submergeait, Charley n'avait pu s'empêcher de sourire en entendant la petite Volcanette parler ainsi de « son » Ord. Si quelqu'un pouvait faire changer Morvan d'avis, c'était bien elle. Ces deux-là étaient aussi décidés l'un que l'autre. Cela laissait prévoir de belles empoignades pour l'avenir. Mais en même temps, là était la chance de Vulcain.

Le chartaxi déposa Charley au sommet de Clairmont. En courant, Charley passa devant la porte de Mam Chloé. Plus tard, peut-être viendrait-il l'embrasser.

La place de l'essieu était couverte d'une fine couche de cendres. Le Natoubo avait dû se fâcher dans les jours précédents et le vent n'avait pas encore nettoyé la ville. Dans le quartier sud, un kont s'était écrasé à un carrefour, bloquant toute possibilité de circulation tant qu'il ne serait pas vidé et découpé en morceaux. Des Volcanos s'affairaient autour de la carcasse disloquée. Peut-être y avait-il des victimes en dessous...

Charley repensa à la quiétude d'Epha et à la relative tranquillité de Lorze, en bord de mer. Il fallait rééquilibrer les choses, arrêter de construire les villes près des chaînes de volcans et des zones de largage... Il fallait mettre les populations à l'abri... Il fallait surtout que tout cela se sache.

Devant les trois containers empilés formant la maison de Djiz, le petit banc était toujours là. Mais la cendre qui le recouvrait témoignait que personne ne s'y était assis depuis longtemps. Les ouvertures garnies de plastique étaient occultées par des tissus sombres. Charley s'immobilisa, glacé, pourtant la chaleur du début de l'été était sensible. On était fin Sizembre. Il avait quitté Jani début Troisier, quatre mois plus tôt.

La rouille fulgure, avait dit Mam Chloé, *celle-là tue en quelques mois.*

Il frappa. Doria ouvrit la porte. Quand elle le vit, son visage pâlit, puis elle se mit à trembler. Elle l'attira contre elle, le serra convulsivement en répétant :

« Dieu merci, tu es revenu à temps. »

Charley dit seulement :

« Où est-elle ?

— Là au fond, sur ta paillasse. »

Il souleva le rideau qui servait de cloison. Le fond du container était plongé dans la pénombre. Djiz était assis au chevet de sa fille. Il se releva lentement en voyant Charley et le serra lui aussi contre sa poitrine. Puis il se détourna et laissa doucement retomber le rideau derrière lui.

Charley s'approcha du lit. Jani avait les yeux fermés. Son visage était blanc, ses traits creusés. On sentait que la souffrance avait miné la petite Volcanette depuis des jours et des jours. Comme celui d'une momie, son corps était enveloppé de bandelettes enduites de calmants. Cette gaine évitait ainsi au malade de s'arracher la peau quand il avait un accès de démangeaisons.

Seul le bout des doigts était dégagé. Charley s'assit sur la chaise occupée un instant plus tôt par Djiz et se pencha vers la main abandonnée sur le drap. Il embrassa les dernières phalanges, puis posa sa joue sur la main et laissa couler ses larmes.

« Alors, moineau, tu es venu revoir la première fille que tu as rencontrée ? Elles n'étaient donc pas belles celles d'Epha ? »

Charley releva la tête. Jani parlait dans un souffle. Elle le regardait, elle aussi des larmes au bord des yeux.

« Jani, murmura-t-il, pardonne-moi, j'aurais dû comprendre. Mais tu étais si forte...

— Perdu, moineau, dit-elle, ta Jani est dans un cocon et va bientôt s'y endormir. »

Il se releva d'un coup, se pencha sur elle et la prit dans ses bras.

La serrant avec force, il gronda :

« Je vais te sortir de là, je vais te guérir, je vais te donner ma peau. »

*
* *

Le *Némo* atterrit une heure plus tard. Morvan et Shahinez rejoignirent Charley. Les deux garçons se regardèrent.

« Je t'ai trahi, dit Charley. J'aurais dû te dire que les ingénieurs de Génutopia qui m'ont fabriqué pouvaient sans doute sauver ton frère. Mais j'ai été égoïste, j'avais peur pour moi.

— Moi aussi, je t'ai trahi, répondit Morvan, cent fois Shahinez m'a dit qu'il fallait essayer de te retrouver pour sauver Odilon, mais je n'ai pas voulu. Mon orgueil a coûté la vie à ton charat.

— Maintenant il faut penser à Jani », dit Shahinez.

Charley raconta tout. Djiz, Doria, Morvan et Shahinez apprirent qui était ce garçon étrange tombé du ciel de Vulcain l'année précédente.

« Il faut que je me mette sous la protection de ton père, Morvan, dit Charley, c'est la seule solution. Ord Maatchi est respecté. Il peut intervenir. Lui seul peut m'aider à faire éclater la vérité. Toutes les vérités.

— Es-tu bien sûr de les connaître toutes, Charley ? » dit une voix dans son dos.

L'homme qui venait de parler ouvrit le rideau. Derrière lui, à la porte, il y avait une femme et Hyell, le voisin. Sur un ton d'excuses, celui-ci dit :

« Ils cherchaient ta maison, Djiz.

— Bonjour, Charley, dit la femme.

— Bonjour, Clara », répondit-il.

Jim ne fit aucun mouvement. Hyell, comprenant qu'il se passait là des choses importantes, salua et s'éloigna.

« Tu vas bien ? demanda encore Clara.

— En pleine forme ! ironisa Charley. J'ai été prévu pour ça, non ? »

Il écarta les bras et fit un tour sur lui-même.

« Pas une égratignure. Douze mois dans le méthane, le mercure, les sulfates, l'ammonium, les dioxydes, le phosphore, j'en passe et des meilleures, et RIEN. Pas la moindre lésion pulmonaire, pas la moindre tache de rouille. Je suis comme neuf au sortir de l'Usine. Vous pouvez être contents, vous avez fait du bon travail. Même si ce n'était pas prévu dans le programme que le cobaye vienne tester sa résistance sur Vulcain...

— C'était prévu », dit Jim.

Charley se pétrifia. Il regarda son tuteur, atterré.

« Tu... tu veux dire que vous aviez prévu que

j'apprendrais par hasard qui j'étais et que j'allais m'enfuir ICI ?

— Pas tout à fait. On ne se doutait pas que tu apprendrais par hasard qui tu étais. Mais quand nous avons compris que tu n'avais pu fuir que dans les ordures, nous avons laissé courir. Nous avons même averti le pilote du vaisseau-collecteur – souviens-toi que ton voyage a duré sept jours – qu'une belle somme l'attendait au retour s'il larguait ses containers très bas.

— Je savais bien, moineau, dit Jani dans le dos de Charley, que tu étais exceptionnel pour avoir survécu à la chute d'un kont...

— Mais alors... pourquoi avoir attendu dix mois avant de me rechercher ?

— Nous n'avons pas attendu dix mois avant de te rechercher. Grâce à une émission de cosmovision...

— *Tous les mondes pour un seul, un seul pour tous les mondes...*, coupa Charley.

— Exactement. Grâce à cela nous avons eu confirmation qu'Odilon était sur Vulcain. Donc si le charat avait résisté, toi aussi. »

Clara continua.

« Plus tard nous avons lancé l'avis de recherche.

— Pourquoi ? » gémit Charley en plongeant son regard dans celui de la jeune femme.

Il ne parlait pas de l'avis de recherche, mais de lui,

de l'expérience qu'il représentait. Elle comprit fort bien et ne sut quoi répondre.

« C'est très long et très compliqué à expliquer, intervint Jim. Je propose qu'on te dise tout en rentrant à Epha. Nous avons un aéroglisseur qui nous attend à la sortie de la ville. Il faut que tu nous suives, Charley.

— Pas si vite, dit Morvan en s'interposant entre Jim et Charley. Je suis Morvan Cadfar, fils... unique de Ord Maatchi Cadfar. Ce Volcano, poursuivit-il en désignant Charley, est sous la juridiction d'Epha. Mon père m'a chargé de venir le chercher ici, ainsi que sa famille adoptive, pour vérification de situation d'immigrants. Vous n'avez aucun droit pour l'emmener avec vous.

— Il appartient à Génutopia », dit Jim, froidement.

En entendant ces mots, tous les autres frémirent autour de lui. Clara tenta d'arranger les choses.

« Nous allons vous suivre. Nous demanderons à Ord Cadfar et aux gouverneurs de Vulcain de trancher.

— Je ne sais pas si la décision pourra se prendre sur Vulcain », intervint Djiz.

Morvan glissa une main dans celle de Shahinez, posa l'autre sur l'épaule de Charley et dit :

« Eh bien, s'il le faut, nous saisirons le gouvernement des Trente Mondes. Nous irons sur Agora. »

18

Agora

L'immense salle où siégeaient les cinq mille représentants de la Confédération des Trente Mondes était située au cœur de la grande planète artificielle. Agora, la gigantesque sphère gouvernementale, brillait dans l'espace telle une boule géante percée d'étoiles. Depuis le *Némo*, couplé pour la circonstance avec un propulseur spatial, Charley et Morvan dévoraient des yeux le spectacle prodigieux qui s'offrait à eux. Chaque tache de lumière à la surface de la planète artificielle était un puits d'accès ou de sortie pour les vaisseaux spatiaux. Il y en avait des milliers. À chaque trou de lumière entrait ou sortait la silhouette longue et fuselée d'une nef interstellaire. Le va-et-vient ne s'arrêtait jamais. Agora était sans cesse en ébullition. Les vaisseaux étaient comme des bulles étincelantes crevant à la surface de la sphère d'acier pour témoigner de l'agitation trépidante qui régnait à l'intérieur.

« C'est magnifique, dit Morvan, quelle organisation ! On dirait une ruche avec les pas de danse codifiés des abeilles à l'entrée. »

Une voix retentit dans les haut-parleurs.

« Vaisseau en attente sur orbite 513, identifiez-vous.

— Ici gouverneur Cadfar aux commandes du Némo, répondit Ord Maatchi, origine Vulcain, immatriculé 002191 sur la base d'Epha.

— Motif de votre venue sur Agora, reprit la voix.

— Audience publique à la session de l'Assemblée des délégués de la C.T.M. demain matin.

— Bien reçu. Veuillez attendre nos instructions. »

Le silence retomba dans la salle des commandes du *Némo.*

« Et s'ils ne nous laissaient pas entrer ? demanda soudain Charley.

— Ils vont nous laisser entrer, Charley, ne crains rien. Ils vont seulement être surpris de nous voir arriver. Cela fait environ deux ans que personne n'est venu de Vulcain. Toutes les transactions se font par télécoms.

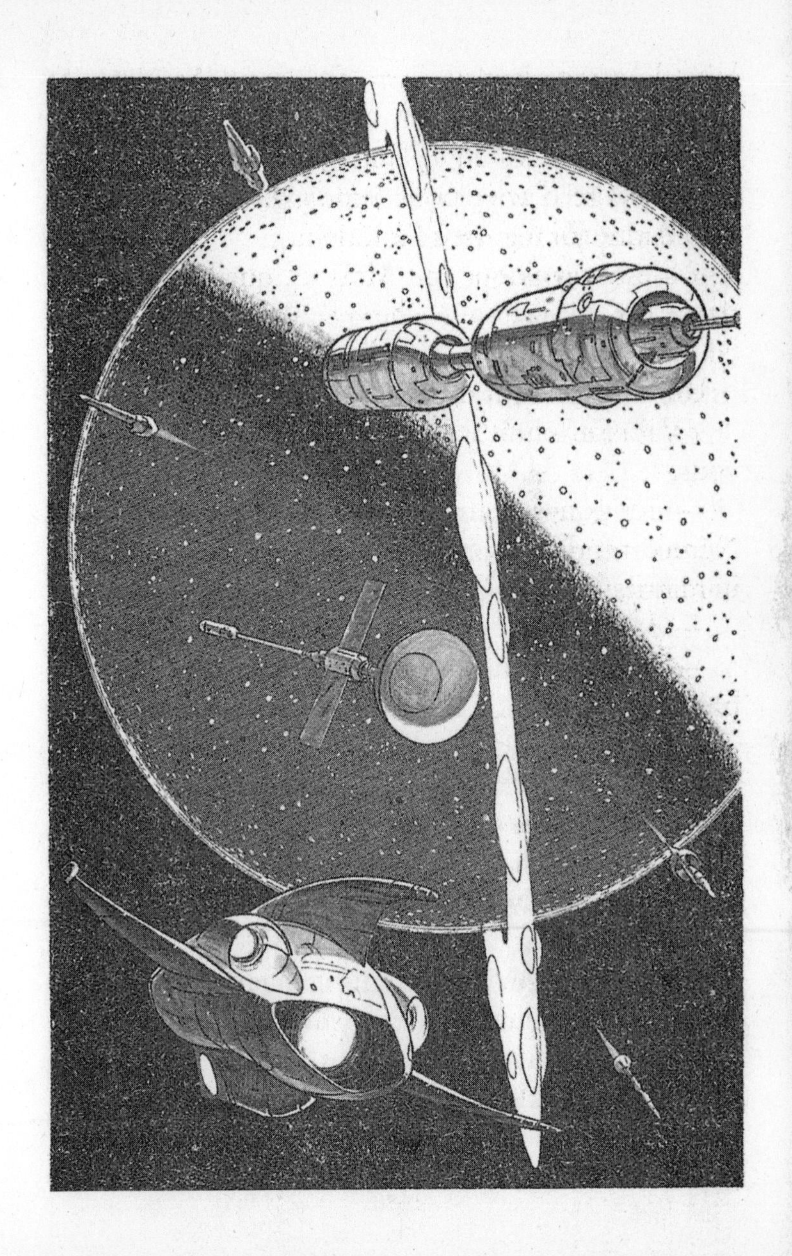

— Mais quand ils vous achètent les produits recyclés, il faut bien que vous ayez des contacts avec eux...

— Ce sont eux qui viennent. Les Ords ne sont guère désirés sur Agora.

— Pourquoi ?

— La rouille. »

Charley resta silencieux. La maladie pouvait aussi atteindre les Ords. Il avait appris cela lorsque, de retour à La Saline, il avait eu une longue explication avec le père de Morvan. Mais les Ords étaient fiers, ils ne parlaient pas de la maladie, faisant croire qu'elle était l'apanage des Volcanos, des Vide-ordures, de la boue du monde.

Heureusement, Ord Cadfar était différent. Il avait à peine soulevé un sourcil en voyant Shahinez aux côtés de Morvan. Ainsi en avait-il décidé le jour où il avait pris le risque de conduire ses fils à Hidos.

« Je prendrai la parole en premier, Charley, dit-il en se retournant vers son passager, et puis tu continueras. Il est temps que quelques vérités soient dites à cette Assemblée. »

La salle était encore plus grande que tout ce qu'avait imaginé Charley. Elle était elle-même sphérique au centre de la planète. La demi-sphère inférieure était occupée par les cinq mille sièges où s'installaient les uns après les autres les représentants des Trente Mondes. Au trente-quatrième rang, la place 3502 était habituellement vide. C'était celle qu'aurait dû occuper le représentant de Vulcain. Mais depuis longtemps plus personne ne venait. Qu'est-ce qu'une voix parmi cinq mille ?

Chaque siège disparaissait dans le sol et réapparaissait quelques secondes plus tard avec un homme ou une femme assis dans le fauteuil. Il y avait ainsi cinq mille couloirs d'accès reliés directement aux différentes ambassades nichées au creux d'Agora. Lorsque le siège 3502 s'effaça dans le sol puis réapparut avec Ord Cadfar qui s'y était installé, ses deux voisins le regardèrent, surpris. Il se pencha avec courtoisie vers l'un puis vers l'autre. Les deux hommes n'osèrent faire un commentaire. Tous les représentants étant arrivés, le grand panneau électronique central afficha le nombre de présents : 4326.

« Bien, murmura Morvan à Djiz qui l'accompagnait dans la galerie vitrée au-dessus de la salle. Il y a beaucoup de monde.

— Il en manque tout de même plus de six cents, gronda le Volcano. Où sont-ils ?

— Dans des commissions siégeant dans des salles contiguës, dit un homme accoudé lui aussi à la main courante de la galerie réservée au public. Mais les interventions de la grande salle sont retransmises partout en direct.

— Tant mieux, poursuivit Djiz, car ce qu'ils vont entendre risque de les surprendre. »

Intrigué, l'homme observa cet adolescent vêtu de bleu et cet adulte enturbanné et coloré.

« D'où venez-vous ? demanda-t-il.

— Vulcain.

— Jamais entendu parler.

— Ça ne va pas tarder... » dit Morvan en pointant son doigt en direction de la salle. Maatchi Cadfar venait de se lever. Son image était retransmise sur l'écran géant. Son magnifique turban bleu intrigua l'assistance.

« Je suis Ord Maatchi Cadfar, commença-t-il de sa belle voix grave. Je suis mandaté par le conseil de Vulcain pour venir aujourd'hui solliciter, comme chaque siégeant à cette assemblée y a droit une fois par an, l'autorisation de donner la parole à un citoyen de la planète. »

Une houle d'étonnement agita les rangs. Personne n'usait jamais de ce droit. Si chacun se mettait à donner la parole à un citoyen quelconque, où irait-on ? Il suffisait d'être élu. On représentait les peuples, c'était suffisant, non ?

Le maître des débats prit la parole.

« Ord Cadfar, vous revendiquez un droit peu usité.

— N'existe-t-il plus ? demanda Maatchi Cadfar.

— Euh, si, bien sûr..., répondit l'homme.

— Alors je le revendique, assena Ord Cadfar. Qu'on fasse entrer mon invité ! »

Deux huissiers introduisirent Charley. Son costume volcano fit sensation. L'adolescent avança d'un pas sûr jusqu'à la plate-forme au centre de la salle. Tout le monde se pencha un peu en avant pour le voir. Puis les regards se portèrent en direction du grand écran où l'on voyait Charley dégager lentement ses cheveux puis son visage du turban coloré et des voiles dont il s'était entouré. Il retira ensuite la cape dont il était enveloppé et la laissa tomber au sol. Il portait en dessous la rude chemise de toile peinte, le pantalon brun et les bottes noires des Hidosiens.

« Je m'appelle Charley, dit-il après avoir pris une longue inspiration. C.H.A.R.L.Ey. Cela signifie Cobaye humain mâle amélioré pour résister dans des lieux extraterrestres. J'ai été conçu et mené à terme, puis élevé dans les laboratoires de Génutopia en Ancienne Europe sur la planète-mère, la Terre. »

Un instant de silence stupéfait succéda à cette déclaration, puis ce fut un tumulte infernal, la pagaille la plus mémorable que cette noble enceinte avait connue depuis des décennies !

Certains criaient au scandale, d'autres hurlaient en affirmant qu'enfin la vérité éclatait...

Le maître de séance eut un mal fou à rétablir le

calme. Morvan donna un coup de coude à Djiz en lui montrant les gradins. Les uns après les autres, les sièges vides disparaissaient puis remontaient, portant chacun les représentants manquants arrivant des salles latérales.

« Continuez, jeune homme ! » dit enfin le meneur de débat lorsque le calme fut revenu. Mais la salle restait houleuse.

« J'ai ignoré la vérité sur mon cas jusqu'à l'année dernière. Je pensais être un garçon comme les autres... »

La voix de Charley se cassa un peu. Morvan, du haut de la galerie, lui souffla mentalement : *Vas-y, courage... Tu es MIEUX que les autres...*

« Quand j'ai appris la vérité, je me suis enfui. Avec les ordures. Et j'ai atterri sur la planète Vulcain. Tout le monde connaît Vulcain, n'est-ce pas ? Tout le monde sait ce qu'est Vulcain... »

Charley fit lentement un tour sur lui-même, observant les gradins. Sur l'écran, son regard plongeait au fond des yeux de chacun des présents.

« Mais peut-être est-il nécessaire que j'en parle un peu. »

Il décrivit alors la vie des Volcanos. Il parla des konts, des volcans et des usines de retraitement. Puis il parla des Ords et des vaisseaux-bennes larguant les déchets ultimes. Sa voix était claire, assurée, sans arrogance, sans haine. Il dit tout dans les moindres détails. Les satellites-tueurs et la crainte dans laquelle certains Ords maintenaient les Volcanos. L'attitude courageuse de Maatchi Cadfar, progressiste, qui croyait en l'entente future entre les deux communautés.

Enfin il parla de la rouille.

« Personne n'est épargné, dit-il, c'est une maladie terrible qui tue des enfants... des jeunes filles... Elle est due à la pollution et aux conditions de vie. Jusqu'à présent, rien n'a prouvé qu'elle était contagieuse. Mais qui sait... »

Une chape de plomb tomba sur l'assistance. Nombreux étaient ceux qui connaissaient l'existence de la maladie. Mais la poubelle de la Confédération des Trente Mondes était si loin...

Charley fit alors quelque chose qui tétanisa l'Assemblée. Il glissa sa chemise par-dessus sa tête. Son corps apparut. Musclé, brun, intact.

« La rouille atteint tout nouvel arrivant avant un an. Je vis sur Vulcain depuis un an et je n'ai rien. Parce que ma peau est différente. J'ai été conçu pour ça et je suis une parfaite réussite. »

Il énuméra alors ce dont il était capable. Les cinq mille membres de l'assemblée ouvrirent des yeux sidérés.

« Je peux sans doute faire d'autres choses. Je suis prêt à me rendre à Génutopia pour que des recherches soient poursuivies sur moi. Mais à plu-

sieurs conditions. Je sais ce que je vaux. Voilà ce que je veux.

« Premièrement, je demande que le largage sur Vulcain soit réglementé et qu'un processeur ozonique soit mis en orbite autour de la planète.

« Deuxièmement, je suggère la construction d'une digue et l'assèchement d'une zone de hauts fonds marins pour créer un troisième continent hors zone de largage, le continent Edyn.

« Ces profondes modifications de Vulcain devraient obliger Ords et Volcanos à envisager leurs relations dans la collaboration plutôt que dans l'affrontement.

« Enfin, dans un autre ordre d'idées, je souhaite que les ingénieurs-généticiens de Génutopia puissent s'exprimer devant cette assemblée et expliquent pourquoi ils ont été obligés de garder ma conception et mon éducation secrètes. »

Dans la galerie publique en haut de la salle, Clara venait de s'accouder à côté de Morvan.

« Vous pensez qu'il nous pardonnera un jour ?

— Si vous sauvez Jani, oui. »

La jeune femme acquiesça.

« Nous allons tout faire pour ça.

— Pourquoi ne rien lui avoir dit pendant si longtemps ? murmura Djiz.

— Les lois, répondit la jeune femme, les lois interdisant les manipulations génétiques sur l'être humain. Il fallait les transgresser un jour. Nous avons osé le faire. C'est terrible pour Charley, mais c'est bien pour le reste de l'humanité. Nous avons concentré sur lui toutes les expériences. Mais chacune d'elles va permettre de soigner les uns, d'améliorer les autres, d'avancer ici, de découvrir là-bas...

— Vous ne recommencerez pas ?

— Non. Pas dans ces conditions-là, pas en concentrant tout sur un même individu. Les comités d'éthique n'autoriseront jamais une telle chose.

— Ils vont vous sanctionner ?

— Sans doute, mais si la peau et des organes comme ceux de Charley peuvent être greffés aux malades incurables des Trente Mondes... on nous pardonnera. »

Petite silhouette au centre du cercle, Charley était en train de se rhabiller dans le silence le plus total des cinq mille délégués. Il allait fermer son turban sur son visage lorsque le meneur de débat posa la question :

« Et en ce qui vous concerne, jeune homme, quelles décisions souhaiteriez-vous que nous prenions ?

— Je... J'aimerais avoir un passeport au nom de Charley Volcano, être autorisé à résider sur Vulcain, et... »

Sa voix devint sourde.

« Avoir accès à mon dossier à Génutopia pour

savoir comment j'ai été créé et de quels parents biologiques je suis né... »

« Vous le savez ? demanda Morvan à Clara.

— Non. Nous avons pris des donneurs anonymes. Mais il est un enfant humain, c'est certain. »

La jeune femme continua :

« Nous pouvons améliorer, certes... mais de là à créer la vie... »

Ord Cadfar, heureux, se leva et rejoignit Charley. Il le prit par les épaules et ensemble ils s'inclinèrent devant l'Assemblée. Puis ils descendirent de l'estrade. Au moment où ils allaient quitter l'enceinte, l'huissier, se raclant la gorge, leur fit un léger signe de tête en leur montrant la salle. Ils se retournèrent.

Les cinq mille délégués des Trente Mondes étaient debout.

Épilogue

La Saline

Le *Némo* se posa doucement au centre de la cour. Ord Cadfar ramenait Jani. Elle revenait de la Terre. Un vaisseau l'avait déposée à Agora. C'est là que Maatchi Cadfar avait récupéré la Volcanette. Elle revenait guérie après six mois de traitement intensif au centre de soins de Génutopia. On lui avait greffé une peau semblable à celle de Charley. On avait injecté dans son corps des gènes tueurs capables de combattre les effets nocifs de la pollution vulcanienne. Elle était la preuve vivante que l'on pouvait guérir des incurables et améliorer les Volcanos pour les rendre plus résistants à l'hostilité de leur monde.

« Mais ce n'est qu'une partie de la solution, ne

cessait de répéter Charley. Il faut que les Trente Mondes nous aident, il ne faut surtout pas qu'ils nous oublient. »

Pour cette raison, le siège 3502 était désormais toujours occupé, soit par Ord Cadfar, soit par un des gouverneurs de Vulcain qui, les uns après les autres, se rangeaient dans le camp des progressistes. Les Ords avaient des bénéfices à tirer de l'amélioration de la résistance des Volcanos. Mais les Volcanos ne mettraient cette force au service de l'économie vulcanienne que si les Ords supprimaient les satellites-tueurs. Le processus était en marche. Dans les années à venir, le processeur ozonique serait installé. La digue d'Edyn allait être construite. Depuis quatre mois, aucun kont ne s'était écrasé sur une zone habitée. Les altitudes de largage étaient respectées. Une brigade de surveillance avait été mise en place.

« Tout va bien, n'est-ce pas ? »

Charley ne répondit pas à Morvan. Il regardait la porte du *Némo* s'ouvrir pour laisser passage à Jani. Il aurait dû être heureux mais il ne pouvait se laisser aller à sa joie.

Jim et Clara avaient tenu leur promesse. Ils avaient guéri Jani. Maintenant c'était à lui de tenir la sienne. Il devait repartir sur Terre pour permettre à Génutopia de l'examiner et de tirer toutes les conséquences positives des améliorations apportées à son corps. Il était cependant rassuré sur un point : il était un garçon « normal ». Se souvenant de toutes les angoisses éprouvées un an plus tôt quand il avait appris le sens de son nom, il eut un petit sourire. Son corps était différent, certes, mais il était un adolescent de seize ans comme tous les autres, impatient, en révolte, ne rêvant que de vieillir et... amoureux.

Les occupants de La Saline firent cercle autour du Maître et de sa jeune passagère. Doria, qui avait accompagné sa fille sur Terre, se jeta dans les bras de Djiz. Jani tenait dans ses bras un paquet. Après avoir salué son père, elle s'approcha de Charley, posa le colis à terre et mit ses bras autour de son cou.

« Merci », dit-elle simplement avant de l'embrasser.

Puis elle recula et désignant le paquet :

« Ouvre-le, c'est pour toi. De la part de nous tous, et de Clara et Jim. »

Étonné, il s'accroupit devant le paquet, défit le nœud et souleva le couvercle. Une boule de fourrure douce bondit et, s'accrochant à ses vêtements, grimpa sur son épaule.

« Odilon ! Mais... mais comment est-ce possible ?

— C'est un clone, expliqua Jani. Raconte, Morvan.

— Lorsque Odilon est mort, dit l'Ord, je l'ai immédiatement cryogénisé. Quand j'en ai parlé à Clara, elle m'a dit que, théoriquement, conservées à moins cent soixante-dix degrés, les cellules du charat étaient réutilisables. Nous n'avons rien voulu te dire, de peur que ça n'échoue. Et puis on a su que ça avait marché ; que Clara avait mené à terme un Odilon parfaitement identique à celui que tu avais laissé en quittant Epha. Là nous avons décidé de garder la surprise pour le retour de Jani. »

Le charat était niché au creux du cou de son maître, comme s'il ne l'avait jamais quitté.

« Tu m'as manqué, petit frère... » murmura Charley.

Ord Cadfar s'approcha.

« J'ai quelque chose à te dire. Les délégués des Trente Mondes ont statué sur ton cas et celui de Génutopia. Les ingénieurs de Génutopia sont sanctionnés. Ils n'ont pas le droit d'exiger quoi que ce soit de ta part. Si tu le souhaites, tu peux continuer de collaborer avec eux. Mais les délégués estiment que cela doit se limiter à un mois par an, pas plus. Juste le temps qu'ils fassent tous les examens qu'ils souhaitent pour suivre ton évolution. C'est tout.

« D'autre part, dans les cinq années à venir, tous les habitants de Vulcain seront recensés et obtiendront un passeport légal pour les Trente Mondes. Le même pour tous.

« Voici le premier. C'est le tien. »

Bouleversé, Charley prit la carte magnétique que lui tendait Maatchi Cadfar.

Il la glissa dans sa poche sans la regarder.

Ce n'est que le soir, alors qu'il était seul dans sa chambre, voisine de celle où Jani se reposait, qu'il ressortit le rectangle bleu. Il lut :

Nom : Volcano

Prénom : Charley

Nationalité : Volcanord.

POSTFACE

Je tiens à remercier Daniel Benest, astronome à l'Observatoire de Nice-Côte-d'Azur, pour m'avoir montré au télescope l'étoile double Albiréo A (topaze) et Albiréo B (saphir), alors que j'étais en train d'écrire *Les oubliés de Vulcain*. Le soleil de Vulcain n'avait pas de nom. La beauté lointaine d'Albiréo m'a donné envie de situer ma planète-poubelle dans son sillage... 400 années-lumière, c'est sans doute un peu loin pour aller déposer les ordures... Tant pis. Albiréo possède, à mes yeux, un mérite unique... Je l'ai VUE.

Depuis 1977, on sait qu'Albiréo A, la géante orange, est elle-même double. Comme Daniel m'a dit qu'il était plausible d'imaginer une planète en orbite stable autour de cette étoile, j'y ai mis Vulcain, ne résistant pas au plaisir d'ancrer mes rêves dans la réalité observée chaque nuit par les astronomes.

Merci aussi à tous ceux qui d'ores et déjà font du recyclage de nos déchets leur principale préoccupation. C'est le cas de l'ANDRA (qui m'a réservé un accueil fort chaleureux lors de mes investigations), de l'ADEME et d'autres organismes dont on peut se procurer la liste au ministère de l'Environnement.

- ANDRA : Agence nationale pour la gestion des déchets radioactifs
  Route du Panorama-Robert Schuman BP 38
  92266 Fontenay-aux-Roses Cedex

- ADEME : Agence de l'environnement et de la maîtrise de l'énergie
  27, rue Louis-Vicat
  75737 Paris Cedex

- MINISTÈRE DE L'ENVIRONNEMENT : Département de l'Information et de la Communication
  20, avenue de Ségur
  75302 Paris 07 SP

Enfin, La Saline existe, dans le Doubs, à Arc-et-Senans. Elle est gérée par l'Institut Claude-Nicolas Ledoux, portant le nom de cet architecte visionnaire du XVIIIe siècle. On peut la visiter ainsi que le musée consacré à Claude-Nicolas Ledoux et découvrir, sous forme de superbes maquettes, les bâtiments qui m'ont servi de modèles pour la ville d'Epha.

Danielle MARTINIGOL

Table

« Pour l'éditeur, le principe est d'utiliser des papiers composés de fibres naturelles, renouvelables, recyclables et fabriquées à partir de bois issus de forêts qui adoptent un système d'aménagement durable. En outre, l'éditeur attend de ses fournisseurs de papier qu'ils s'inscrivent dans une démarche de certification environnementale reconnue. »

Composition Jouve - 53100 Mayenne
Nº 294980
Achevé d'imprimer en Espagne par LIBERDÚPLEX
Sant Llorenç d'Hortons (08791)
32.10.2420.1/03 - ISBN : 978-2-01-322420-8
Loi nº 49-956 du 16 juillet 1949 sur les publications destinées à la jeunesse
Dépôt légal: octobre 2008